ЗДОРОВЬЕ НА ВСЕ 100!

Поль Брэгг

ПУТЬ К ЗДОРОВЬЮ

Упражнения, основы натурального питания, правила дыхания

Санкт-Петербург
Издательство «Вектор»
2014

УДК 615.85
ББК 53.59
Б89

Данная книга не является учебником по медицине.
Все рекомендации должны быть согласованы с лечащим врачом.

Брэгг П.

Б89   Путь к здоровью. Упражнения, основы натурального питания, правила дыхания. — СПб.: Вектор, 2014. — 160 с. — (Серия «Здоровье на все 100!»)

ISBN 978-5-9684-2146-3

Вы держите в руках книгу уникального человека. Поль Брэгг одним из первых начал говорить о том, что долгожительство — отнюдь не чудо, а следствие правильного образа жизни, напрямую связанного с законами природы. Его система голодания зарекомендовала себя еще в 70-х годах прошлого века. О том, как сделать свою жизнь здоровой и счастливой, вы узнаете на страницах книги.

УДК 615.85
ББК 53.59

© П. Брэгг, 2013
ISBN 978-5-9684-2146-3   © ООО «Издательство „Вектор"», 2013

ОГЛАВЛЕНИЕ

Урок первый

ВЫБОР ПУТИ

ЖИЗНЬ МОЖЕТ БЫТЬ СЧАСТЛИВЫМ И РАДОСТНЫМ ПУТЕШЕСТВИЕМ!

Все люди желают долгой и счастливой, плодотворной и творческой жизни. Такая жизнь может сложиться у каждого из нас. Более того, долгая и здоровая жизнь могла бы стать правилом! Но, увы, на сегодняшний день это не правило, а исключение.

Отчего же так происходит? Почему человек умирает, не прожив и половины тех лет, что отпущены ему природой?

Ответ прост: человек живет мало и неплодотворно потому, что он живет безответственно! Он сам разрушает свое здоровье, укорачивает свой век. Он не хочет утруждать себя заботой о своем здоровье и долголетии. Не хочет соблюдать законы жизни, которые помогут ему не болеть и оставаться активным долгие годы.

А ведь законы жизни, управляющие человеческим существом, просты и очень понятны, надо только набраться терпения и проследить, как они действуют изо дня в день.

Нужно узнать себя и научиться следовать этим законам.

огда ваша жизнь станет не только волнующим приключением, но и огромной радостью.

Каждому из нас необходимо пройти жизненный курс здоровья. Придерживаясь этого курса, вы обретете счастье, полноценное здоровье и долгую энергичную жизнь.

ВЫБИРАЙТЕ ЖИЗНЬ

Итак, сейчас вам предстоит выбрать дальнейший путь в жизни. Будьте честны в своем выборе. Остановитесь, даже не начиная, если не собираетесь точно следовать этому пути!

Не ступайте на него только потому, что другие сочли его правильным. Не отправляйтесь в путь, если в вас нет решимости пройти его до конца.

Современные психологи утверждают, что если вы начинаете какое-либо дело и не доводите его до конца, принимаете решение и не выполняете его, то в вашем характере формируется привычка к абсолютному и позорному поражению. Если вы не собираетесь доводить дело до конца, лучше не начинайте его. Ну а если начнете, доводите до конца, пусть даже земля разверзнется под ногами. Если вы настроились что-либо сделать, сделайте это. Пусть ничто и никто вам не помешает.

Ваше «Я», ваше высшее «Я» определило, что любую проблему можно уладить, даже смерть можно преодолеть. Значит, нет аргументов против выполнения задуманного.

Если вы что-то задумали, начинайте осуществлять свою идею с малого и постепенно наращивайте усилия. Но никогда не позволяйте обстоятельствам брать верх над вашим высшим «Я».

УЧИТЕСЬ САМОУПРАВЛЕНИЮ

Многие люди рано или поздно замечают, что им проще было бы научиться управлять целым королевством, нежели собой. Самое трудное, с чем мы сталкиваемся в начале пути, — это необходимость понять себя и научиться управлять своим внутренним миром.

Но если вы овладели самоконтролем, вам откроются неизведанные глубины вашего внутреннего мира. Вы постигнете искусство управления собой, и это искусство поможет вам управлять миром внешним. Вы станете несокрушимы. Люди и вещи будут откликаться на каждое ваше желание без каких-либо видимых усилий с вашей стороны. Это не так странно и невозможно, как может показаться. Ведь внутренний мир контролируется вашим высшим «Я», которое является частицей единого безграничного «Я», представляющего собой космическую энергию. Верьте в это!

Нужно просто научиться подключаться к неистощимому источнику космической, божественной энергии, активно сливаться с ней для сотворения желаемого. Тогда любое ваше искреннее желание обязательно исполнится, подобно тому как фрукты созревают на дереве, подчиняясь действию закона жизни и в результате исполняя желания того зернышка, из которого выросло дерево.

ПОМОГАЯ СЕБЕ,
МЫ ПОМОГАЕМ ДРУГИМ

Каждый человек может преумножить свои способности, соединяясь с космическим источником. Только один Мыслитель существует в Космосе, все наши благие мысли — это Его мысли. И эти мысли передаются через Бога ко всем людям.

А это значит, что каждый человек уполномочен поднимать других людей на более высокий уровень развития подобно тому, как каждая капля воды поднимает уровень океана.

Примером здесь могут служить и мысли великих ученых.

Каждое великое научное открытие, сделанное человеком, поднимает уровень всех людей, в том числе и людей будущих поколений.

Ожидаемая продолжительность жизни рождающихся сейчас детей составляет около шестидесяти пяти лет. Полвека назад она составляла только четыре десятка .

Это означает, что мысли ученых — специалистов по здоровому образу жизни — внесли свой вклад в увеличение средней продолжительности жизни на двадцать пять лет.

Цивилизация сейчас только выбирается из джунглей, и каких высот она достигнет, будет зависеть от каждого из нас.

Так что, когда вы начинаете реализовывать конструктивную программу жизни, когда вы взаимодействуете с всеобщим источником энергии, вы помогаете не только себе, но и другим. Когда вы живете полной жизнью, в резонансе с Космическим разумом, вы становитесь реальным строителем мира, независимо от того, насколько мала та роль, которую вы играете в Космосе.

Эта работа выходит за пределы личности, потому что вы — больше чем личность. Но для того чтобы все задуманное вами стало реальность, надо начать с самосовершенствования.

ЧТО ВЫ МОЖЕТЕ СКАЗАТЬ
О СВОЕЙ ЖИЗНИ?

Спросите себя:

- Требует ли больших усилий все, что вы делаете?
- Начали ли вы терять свой кожный или мышечный тонус?
- Раздражают ли вас мелочи?
- Проявляются ли у вас забывчивость, замешательство?
- Слабеет ли ваш голос?
- Мутнеет ли ваше зрение?
- Дрожат ли ваши руки?
- Ухудшаются ли ваши умственные способности?
- Притупляются ли ваши ощущения?
- Пошатываетесь ли вы слегка при ходьбе?
- Задыхаетесь ли вы при подъеме по лестнице?
- Гибка ли ваша спина?
- Скрипят ли ваши суставы?
- Хорошо ли вы адаптируетесь к холоду и жаре?
- Чувствуете ли вы себя подвижным и энергичным?
- Нравитесь ли вы себе?

Скорее всего, большинство из вас огорчится своим ответам на эти вопросы. Не печальтесь! Просто начните менять свою жизнь. Именно сегодня! Именно сейчас!

ПОЧЕМУ МЫ БОЛЕЕМ?

Для того чтобы начать менять жизнь, очень важно понять, что в ней мы делаем не так. Отчего мы болеем? Что такое наши болезни?

Болезни — это сигналы о неполадках в организме. Это крик тела нашему «Я». Оно кричит нам:

«Вы не знаете, как пользоваться мной! Прекратите отравлять меня. Научитесь питать меня. Усвойте, сколько кислорода мне необходимо. Усвойте, как нужно дышать. Усвойте, как сбалансировать мою систему кровообращения с помощью оптимальной физической активности. Я не хочу жить наполовину. Я инструмент, который приводит в действие вашу божественность. Я могу хорошо и надежно работать. Я обладаю способностью к самовосстановлению и самосозиданию. Я могу стать для вас орудием радости, блаженства и счастья. Я могу дать вам вечную молодость. Поймите меня, и я подарю вам сияние радости и неограниченной жизненной энергии. Только поймите меня! Ведь у вас не останется надежды на лучшее, если вы не будете обращаться со мной в соответствии с Космическим Законом...»

Однако ум почему-то не слышит отчаянных криков нашего тела. Может, он слишком занят другими делами? Или просто предпочитает не слышать? Ведь так жить — проще.

Что же происходит дальше? Сначала тело пытается протестовать, потом сдается, потом появляются боли. И вот тогда человек кидается к врачу и просит: «Спасите меня! Избавьте от боли, которая приводит меня в отчаяние! Я не могу справиться с болезнью сам!»

Увы, нередко в таких случаях и врач уже не может помочь человеку в полной мере. Вот если бы пациент услышал голос своего тела хоть чуточку раньше...

КАК НАЙТИ ИСЦЕЛЕНИЕ?

В Америке очень модно ходить по докторам. В Новом Свете принято иметь своего доктора для тела и своего доктора для души. Первый выписывает кучу самых дорогих и вредных лекарств, а второй берет немалые деньги только за то, что объясняет боль в суставах подавленной страстью к одному из родителей в дошкольном возрасте. Оба врача не дают телу и духу ни единого шанса на выживание. Больной ожидает чуда, надеется, что врачи сделают его здоровым, как прежде. Но чуда не происходит. Потому что таблетками и психоанализом многого не добьешься.

Безусловно, бывает и такое, что исцелить больного может только хороший врач. Но это касается в основном травм или болезней, которые лечатся только хирургическим путем. Во всех остальных случаях наше тело само способно справиться с болезнью, так как оно обладает созидательной силой Космического разума. Но эта великая целительная сила начнет действовать в организме только тогда, когда для него будут созданы нормальные условия, когда в организм начнут поступать необходимые питательные вещества, прекратится его отравление ядами, когда наш ум даст ему возможность жить по Великим Космическим Законам, а не вопреки им.

Как правило, к спасительным ресурсам своего тела люди обращаются лишь тогда, когда все остальные способы лечения оказались неэффективны. Например, врачи отказались лечить больного, так как, по их мнению, он неизлечим. А человек не хочет умирать! И он решается бороться со смертью вопреки прогнозам врачей.

Справится ли он с такой серьезной задачей? С уверенностью можно сказать только одно: он МОЖЕТ с ней справиться. Если пойдет по правильному пути, не дрогнет, не сойдет с него. Энергия, которая приносит жизнетворный кислород в наши легкие, энергия, которая поддерживает биение нашего сердца, — эта всеобщая космическая энергия способна восстановить нормальное состояние нашего организма. Нет стадий, когда эта энергия целительна, а когда болезнетворна, как нет болезней смертельных или несмертельных. Практически все болезни может излечить Великий Доктор Животворная Энергия.

Секрет этого исцеления невозможно описать на человеческом языке. Можно только следовать законам природы, стараться жить с ней в гармонии и так сбалансировать свой образ жизни, что Великая Энергия исцелит все болезни. В организме имеются мощные защитные механизмы, которые начнут восстановительную работу, как только человек, божественное создание, возьмет себя в руки и решит отказаться от нездорового образа жизни.

А вот люди-врачи перед болезнями чаще всего бессильны. Потому что они лечат симптомы, а не причины заболеваний.

ЧЕЛОВЕК — ЭТО ТЕЛО, РАЗУМ, ДУХ!..

...И невозможно отделить одно от другого, недальновидно и глупо развивать одно в ущерб другому. Мы должны развивать все, что нам дано свыше.

Духовная пища необходима телу — без нее оно не сможет быть здоровым. Существует множество религиозных течений, философских учений, которые могут способствовать развитию нашей умственной и духовной силы. Но ближе всего к Богу — наша совесть, поэтому внутренний голос подскажет вам правильное направление. Прислушивайтесь к своему внутреннему голосу ежедневно, ежечасно! Ищите помощи и руководства Высшей силы посредством медитаций, молитв. Духовная сила поможет не только правильно выбрать путь развития, она даст силы неукоснительно следовать по этому пути.

Человеку через медитацию и молитву необходимо добиваться единения с Космосом, с Богом, с Природой. Такое единение наполняет смыслом нашу жизнь. Оно дает нам уверенность в своих силах.

Нередко бывает, что сам человек не может справиться со своими проблемами. Но он обязательно справится с ними, если попросит помощи у Высшей космической силы.

Вот простой пример, на котором легко можно объяснить, как велика эта сила.

> Три маленьких мальчика пошли прогуляться в лес. Внезапно разразилась буря, и одного из них придавило упавшее дерево. Оно было очень тяжелым. Когда мальчики увидели, какое несчастье случилось с их другом, они попытались поднять дерево и вызволить его. Приложив сверхчеловеческие усилия, они спасли жизнь другу. На следующий день мальчики, поднявшие дерево, привели своих родителей и друзей посмотреть на то огромное дерево, которое они подняли. Они попытались снова поднять дерево с помощью родителей и друзей. Им не удалось приподнять его ни на один сантиметр от земли. Но накануне они смогли сделать это, потому что обладали энергией, которую в трудную минуту им дали Высшие силы, дал Бог.

Эта энергия — повсюду и доступна любому человеку. Чем чище ваши тела будут в результате естественного образа жизни, чем ближе вы станете к природе, тем больше вы сможете получить неограниченной космической энергии. Превратитесь в дитя природы, и с вами произойдет много чудес.

ПРИРОДА НАШЕГО «Я»

Если человек подходит к своему оздоровлению без энтузиазма и веры в успех, без готовности направлять все усилия на самосовершенствование, у него ничего не получится. Нельзя сегодня сделать несколько упражнений и считать, что ты уже сделал достаточно, можно пару дней отдохнуть. Нельзя провести курс очищения от шлаков, а потом всю неделю питаться крекерами и тортами и пить газированную воду. Разовые оздоровительные мероприятия не принесут вам пользу, от них будет только вред. Чтобы выжить в нашем больном и грязном мире, человеку нужны сила воли и постоянный самоконтроль. И уж тем более эти качества нужны тому, кто хочет не только выжить, но и, оставаясь здоровым, жить долго.

Надо научиться жить так, чтобы здоровый образ жизни стал привычкой. Однако на сегодняшний день, увы, у многих людей вошел в привычку как раз нездоровый образ жизни. Ведь не секрет, что многие люди очень любят безделье и набивают свой желудок вредной пищей. Им это нравится. Их тело утратило правильную реакцию на токсины, которые мы вводим в организм вместе с пищей, воздухом и водой, оно не воспринимает эти токсины как врага, разрушающего здоровье.

Корень всех наших проблем со здоровьем кроется, как правило, в детстве. С первого года жизни организму ребенка дают неправильные ориентиры. Его кормят токсичной пищей, ему не дают достаточно нагрузок, запрещают резвиться и бегать вволю, он лишен полноценных физических нагрузок. Кроме того, сегодня дети буквально с первых дней жизни испытывают стрессы.

И что же получается? Оглянитесь вокруг. Здоровых людей все меньше; инвалидов становится больше.

Сегодня уже в 30—35 лет большинство из нас имеют хронические заболевания.

Задача любого оздоравливающего метода — научить тело интуитивно выбирать правильные приоритеты. Сначала нашему разуму придется жестко контролировать тело, заставлять его делать правильный выбор. Но со временем этот правильный выбор станет для тела привычным. Оно научится автоматически отказываться от вредных продуктов, будет требовать ежедневной физической активности, перестанет лениться и отравлять себя вредными веществами. Вредная пища перестанет вызывать аппетит, а лежание на диване не будет казаться блаженством.

С ЧЕГО НАЧАТЬ ЭТОТ ПУТЬ?

Уединитесь, как это делают животные, когда заболевают. Найдите какое-нибудь спокойное место в вашем доме. Затем обратитесь к вашей божественности, к вашему высшему «Я», к настоящему «Я». Ваше эго, которое олицетворяет важный, тщеславный, любящий показать себя человек, — это не настоящее ваше «Я». Это лишь другая сторона вашей физической личности. Найдите ваше настоящее «Я», услышьте свой внутренний голос. Он поможет вам понять закономерности здоровой жизнедеятельности организма. Эти знания всегда присутствуют в космосе. А вы, подобно радару, должны воспринять и заново открыть для себя эти знания, и тогда сможете использовать их. Поэтому учитесь общаться с Космическим разумом.

Итак, найдите время, чтобы оказаться в тишине. Найдите время, чтобы определить свое реальное место в великом космосе.

Задайте себе вопрос: чем является мое «Я»?

«Я» — это не физическое тело, которое просто служит инструментом для исполнения желаний и воплощения тщеславных намерений.

«Я» — это не ум, потому что ум может только думать, рассуждать и планировать.

«Я» — это то, что управляет и телом, и умом, определяет, что и как им делать во взаимопонимании.

Человеческая личность — совокупность бесчисленного количества привычек, качеств и черт характера. Эта совокупность сложилась как результат нашего печального жизненного опыта. Но все это не имеет ничего общего с нашим настоящим, высшим «Я»!

Настоящая природа вашего «Я» — духовна. Она — источник реальной силы, которой овладевает человек, постигая свою истинную природу.

ГЛАВНАЯ СИЛА

Главная сила нашего «Я» — это сила мысли. Но, к сожалению, большинство из нас не знает, как правильно мыслить, и поэтому не может пользоваться этой силой в полной мере.

Если у человека что-то не получается, значит, он не приложил необходимых для достижения успеха усилий мысли и воли.

Одно из самых сильнодействующих утверждений, которое вы сможете использовать с целью усиления вашей воли и мобилизации силы: «Я буду». Это утверждение нужно произносить постоянно: ночью, утром и как можно чаще в течение дня, продолжая это делать до тех пор, пока оно не станет частью вас самих, не войдет в привычку.

Используйте это утверждение при медитации, концентрации и молчании.

Я буду совершенным человеком.
Я буду здоровым, сильным и молодым.
Я буду господином своего тела, ума и духа.
Я всегда буду в контакте с космической энергией.
Я буду подключен к космическому разуму.
Я буду выше удовольствий.
Я буду хозяином своих чувств.

Когда вы проникнетесь уверенностью, что действительно добьетесь всего, о чем говорите, у вас возникнет чувство неведомой ранее силы. Это значит, что вы можете приступать к воплощению в жизнь своих планов.

НЕ ОСТАНАВЛИВАЙТЕСЬ!

Итак, пришел день, когда вы уверенно встали на путь оздоровления. Вы уже получили первые благодатные плоды на этом пути: отступили болезни, улучшился сон, появилось желание что-то делать, вас покинуло состояние хронического стресса.

Сейчас очень важно понять: это — только первый шаг на дороге к долголетию. Не останавливайтесь! Ведь само по себе здоровье еще не дает полноценной жизни. Здоровье только открывает перед человеком врата в другой мир, в мир, где вы сможете обрести гармонию со всем, что вас окружает.

Нельзя пройти по дороге оздоровления пять шагов и снова вернуться в прежнюю колею. Вы должны отдавать себе отчет в том, что, ступая на новый путь, вы полностью и навсегда отказываетесь от прежнего себя. В противном случае и начинать не стоит.

Урок второй

УКРЕПЛЕНИЕ НЕРВНОЙ СИЛЫ

С ОДНОЙ СТОРОНЫ, С ДРУГОЙ СТОРОНЫ...

Есть такая легенда. Однажды поссорились два рыцаря. Причиной их ссоры был цвет королевского щита, который висел в центре большого зала в замке. Один рыцарь утверждал, что этот щит красный, а другой настаивал на том, что щит зеленый. И сошлись рыцари в поединке, чтобы силой оружия доказать свою правоту. И оба погибли в этом поединке. А щит-то на самом деле был двуцветный — с одной стороны красный, с другой зеленый...

Вот и наше здоровье, как королевский щит, имеет две стороны — физическую и психическую. И обе стороны щита важны одинаково.

К сожалению, на протяжении долгого времени ни врачи, ни их пациенты об этом не задумывались. Было принято считать, что здоровье — это хорошее состояние нашего тела, всех наших органов, всего организма в целом. И все. Никаких дополнительных данных не обсуждалось.

К счастью, сегодня мы уже прекрасно понимаем, что заботиться надо не только о телесном здоровье, но и о здоровье психическом. Физическое и психическое начала настолько взаимосвязаны, что разделить их невозможно. Физическое здоровье поддерживает психическую активность, а психический самоконтроль дает нам силы для поддержания физического здоровья.

Сегодня мы все живем в постоянном нервном напряжении, таковы условия нашего времени. И, если мы не научимся бороться с этим нервным напряжением, изживать его в себе, здоровыми людьми нам стать не удастся. Ни одна оздоровительная система не поможет человеку стать здоровым и сильным, если он будет постоянно находиться в состоянии стресса. Для того чтобы мы успешно следовали по пути здоровья и долголетия, нам необходимы жизненные силы.

А укрепление наших жизненных сил мы должны начинать с тренировки нервов.

НЕДОСТАТОК НЕРВНОЙ СИЛЫ

Изо дня в день вы слышите о людях, которые испытывают «нервный стресс», о бизнесменах и специалистах, у которых случился «нервный срыв». Мы слышим родителей, говорящих о своем ребенке: «Он такой нервный, я не могу добиться от него послушания».

Вам напоминают о «нервах» везде — на улице, в автобусах, кино, театрах, школах и колледжах и особенно в вашем доме, в вашей семье.

Популярное словечко «нервы» означает нервное истощение, недостаток нервной силы. Если вы спросите: «Что такое нервная сила?», то я задам вам встречный вопрос: «А что такое электричество?..»

Мы знаем, что это жизненная сила, таинственная энергия, которая поступает от нервной системы и дает жизнь каждому органу. Разорвите нерв, ведущий

к любому органу, и этот орган перестанет функционировать. Чудесная конструкция, которую мы называем
нервной системой, состоит из миллионов ячеек, слу-
жащих резервуарами силы, общее количество которой
составляет наш нервный капитал. Каждый орган непрерывно работает, чтобы поддерживать нервную силу
в этих ячейках на высоком уровне. От уровня нервной
силы зависит качество нашей жизни.

ФОРМЫ НЕРВНОЙ СИЛЫ

Нервная система человека обладает тремя формами
нервной силы.

Мускульная нервная сила производит мускульные
действия, от нее во многом зависит наша способность
двигаться.

Нервная сила внутренних органов обеспечивает
крепкое здоровье, способность противостоять болезням, а значит, долгую здоровую жизнь.

Психическая нервная сила отвечает за острый ум,
хорошую память, психическую выносливость.

Высокая степень развития психической нервной
силы означает эмоционально сбалансированную личность. Стрессы, напряженность не омрачают в этом
случае жизнь человека. Он является хозяином своей
судьбы.

Если ваша нервная сила велика, вас невозможно
вывести из равновесия. Вы наслаждаетесь ощущением
счастья. Вы живете знанием и мудростью, испытываете
удовлетворенность жизнью и умиротворение в душе.

Существуют три основных фактора, которые нарушают равновесие нервной системы: нервное истощение, депрессия и нервное напряжение. С этими
факторами нам и предстоит научиться бороться.

НЕРВНОЕ БАНКРОТСТВО

Если мы перегружаем нервы стрессами, волнениями, сильными эмоциями, недостатком регулярного сна, кислорода, питания, гневом, беспокойством, завистью, ненавистью, ревностью, алчностью, страстью, жалостью к себе, чувством вины и горем, если мы подвергаем мускульную систему чрезмерному напряжению, если мы любым способом расходуем больше нервной силы, чем наши органы ее продуцируют, — естественным результатом будет нервное банкротство. Иными словами, полное нервное истощение.

Только те, кто испытал нервное истощение, знают, как много страданий оно несет. Нервное истощение может покрыть темной тучей вашу жизнь, причинить невыразимые муки.

Сигналы опасности

Когда нервная сила понижена, человек не всегда это замечает. Он чувствует себя плохо, но не может объяснить причины своего недомогания. Как можно понять, что наши проблемы и дискомфорт — результат уменьшения нервной силы?

Вот 5 основных сигналов опасности, предупреждающие о том, что наша нервная сила истощена.

Сигнал первый — безразличие. Принимаете ли вы безропотно все, что предлагает вам жизнь? Уменьшение нервной силы приводит к потере честолюбия, делает человека умственно и физически ленивым, готовым смириться с бедностью или низким уровнем жизни, способным отказаться от каких-либо попыток изменить свою жизнь к лучшему. Людям с ослабленной нервной силой явно не хватает инициативы, воображения, энтузиазма, самообладания.

Сигнал второй — нерешительность. Расположены ли вы к тому, чтобы другие думали за вас, вами командовали, вместо того чтобы самим принимать решения? Человек с ослабленной нервной силой легко поддается постороннему влиянию. Он фактически становится человеком-роботом.

Сигнал третий — сомнения. Сомневаетесь ли вы в вашей способности что-либо сделать? И, возможно, вы сомневаетесь в искренности тех, кто хочет помочь вам? Признаком ослабленной нервной силы часто является стремление скрыть, оправдать или извинить неудачи. Иногда это выражается в зависти к тем, кто делает успехи в жизни, отличается хорошим здоровьем или в критике таких людей.

Сигнал четвертый — беспокойство. Если вы испытываете постоянное беспокойство, это верный признак того, что ваша нервная сила мала и вам грозит нервный срыв. Беспокойный человек — это самый несчастный человек на земле. Он постоянно охвачен страхами. Беспокойство истощает жизненные силы и старит человека. Оно может довести человека до больницы и ранней смерти.

Если ваша нервная сила мала и вы человек беспокойный, то, наверное, скажете: «Вам бы мои проблемы — и вы бы тоже беспокоились». Это неправда. Все люди встречаются с проблемами на своем жизненном пути, часто более сложными, чем ваши. Но у человека с большой нервной силой они не вызывают беспокойства. Он анализирует их объективно и спокойно, логическим путем находит решения. Часто после тщательного изучения проблемы он убеждается в невозможности самому найти решение. Тогда он обращает свои мольбы к Высшей силе, ожидая от нее ответа.

Беспокойство не решает проблемы, не дает ответов на возникающие в жизни вопросы. Оно только разрушает ваше здоровье, старит вас. Беспокойство — это убийца.

Сигнал пятый — сверхосторожность. Ждете ли вы лучших времен, чтобы начать претворять в жизнь свои идеи и планы? Ждете ли вы до тех пор, пока ожидание не становится вашим постоянным занятием? Если нервная сила человека мала, его пессимизм велик. Такой человек постоянно сосредоточивает свое внимание на негативных сторонах того или иного жизненного обстоятельства вместо того, чтобы собрать силы и средства для достижения успеха. Он знает все пути, которые ведут к неудаче, но никогда не ищет способов, чтобы ее избежать. Он помнит о тех, кто потерпел неудачу, но забывает о тех, кто добился успеха. Такая сверхосторожность и пессимизм ведет к нарушению пищеварения, ухудшению кровообращения, запорам, плохому дыханию, напряженности и нервозности, неуравновешенности, неуверенности в себе и плохому расположению духа.

Увеличить свою нервную силу можете только вы сами. Изо дня в день необходимо помнить, что это важно. Нервная сила — самый драгоценный дар природы. Она означает ваше счастье, ваше здоровье, ваш успех в жизни.

Вы должны знать, как необходимо расслабляться, успокаивать нервы, чтобы после сильного душевного напряжения вы смогли бы восстановить свою нервную силу, снова почувствовать себя физически и психически здоровым.

Избавьтесь от беспокойства

Чтобы остановить процесс нервного истощения, необходимо в первую очередь избавиться от постоянного чувства беспокойства. Многие люди полны беспокойства, они не верят, что их проблемы можно решить, что их будущее не будет постоянной чередой неудач и несчастий.

Каждый день тот малый запас нервной силы, который они имеют, распыляется на беспокойство о своих проблемах. Это верный путь к полному нервному истощению и срыву. Беспокойство по поводу той или иной жизненной проблемы отнюдь не решает ее. Беспокойство даже может довести вас до смерти.

Необходимо научить свое тело жить по законам природы. Улучшая физическую сущность своего организма, мы тем самым улучшаем и его психическую сущность. Физическое здоровье обычно ведет к здоровью психическому.

Большинство ненормальных психических состояний объясняются нарушениями деятельности нервной системы, избытком в крови вредных веществ и другими физическими причинами. Любому психическому состоянию можно дать физическое объяснение.

Бодрость, хорошее настроение могут быть результатом благотворного, тонизирующего воздействия солнечных лучей, передающего чувство благополучия корковой области мозга. Спокойная обстановка умиротворяет вашу нервную систему. Гармоничный интерьер успокаивает ваш мозг, воздействуя на чувства.

Смех является лучшим примером тесного взаимодействия психики и физического тела. Мы смеемся, когда чувствуем себя хорошо. Но пробовали ли вы когда-нибудь засмеяться, находясь в подавленном состоянии? Попробуйте! Физический акт смеха почти всегда вызывает психическую реакцию, которая улучшает самочувствие. Но не забывайте, что вначале требуется определенное психическое усилие, чтобы заставить себя «смеяться сквозь слезы».

Греки говорили: «В здоровом теле — здоровый дух». Никто еще не сказал лучше. Поэтому давайте с помощью психической дисциплины установим дисциплину физическую, которая сделает ваше тело сильным, устойчивым к отрицательным эмоциям, поможет вашему разуму быть здоровым, свободным от забот и печалей.

Не бойтесь!

Большинство людей на вопрос о том, чего они больше всего боятся, как правило, отвечают: «Я ничего не боюсь». Но это неправда! Каждый человек время от времени испытывает один или несколько из основных человеческих страхов: страх бедности, страх болезни, страх старости, страх критики, страх потери любви и страх смерти.

Миллионы людей на протяжении жизни подвержены некоторым, а иногда и всем сразу перечисленным страхам. Они живут в постоянном нервном напряжении. Их нервная сила истощена. И в какой-то момент обязательно наступает нервный срыв.

Страхи воздействуют и на материальную, и на духовную стороны жизни. Страх мешает человеку удовлетворять свои основные жизненные потребности, разрушает в человеке такие качества, как инициатива, энтузиазм, честолюбие. Он подрывает уверенность в себе и душит воображение. Страх делает человека жадным, брюзгливым, подлым, жестоким и раздражительным в отношениях с другими людьми.

Наши страхи живут в нашем подсознании, поэтому мы так часто говорим, что ничего не боимся. Да, головой, умом мы не боимся, но подсознание наше страдает от страхов. Иногда подсознание подает нам сигналы о своем бедственном положении — вдруг «беспричинно» у нас начинает болеть голова, портится зрение, нас мучает бессонница. А иногда внешних проявлений нет, и нам кажется, что все хорошо. На самом же деле все хорошо только с виду. Страхи прячутся внутри нас. Они подкрадываются к нам незаметно, проникая в мозг и мешая ему нормально функционировать.

Только вы сами можете обнаружить свои страхи и изгнать их. Единственное, что для этого требуется, — научиться контролировать состояние своего ума. Состояние ума можно контролировать при большом запасе нервной силы. Она прогоняет страхи. Но эту силу нельзя купить, ее нужно создавать.

«Нам нечего бояться, кроме самих себя». Это утверждение справедливо. Страх парализует человека. Но если мы сознательно противодействуем страху, мы можем его победить.

Давайте проанализируем шесть основных страхов.

Страх бедности

Не может быть компромисса между бедностью и богатством. Если вы хотите обогащаться, вы должны отказаться от всего того, что ведет к бедности. Но важно понимать, что богатство — это не только финансовое благополучие, это — здоровье, жизнестойкость, энергия, долгая жизнь, то есть основные человеческие ценности.

Страх бедности — это состояние ума, вызванное нервным истощением. Созидайте мощную нервную силу — и вы прогоните страх бедности. В процессе такого созидания вы уже продвигаетесь по пути здоровья и благосостояния.

Страх болезни

Семя страха болезни живет в мозгу каждого человека. Чтобы из этого семени не вырастал ужасный, смертельный страх, необходимо укреплять вашу нервную силу.

Когда нервная сила человека мала, любая боль может восприниматься как смертельная болезнь. При этом активно работает воображение. Заболела, например, у человека голова, и он сразу же внушает себе, что у него опухоль мозга.

Любое недомогание, любая болезнь имеют свою причину. Причина, как правило, заключается во вредных привычках, нездоровом образе жизни. Если вы едите неживую, бедную витаминами пищу, ваш организм будет страдать от недостатка витаминов, микроэлементов и т. д. Если вы ленитесь делать физические упражнения, улучшающие кровообращение, то будете страдать от нарушения кровообращения.

Вы никогда не будете бояться болезней, если станете жить по законам природы. Живите по законам природы — и в награду вы получите прекрасное здоровье.

Страх старости

Когда нервная сила иссякает, мы чувствуем, что годы нашей жизни уходят. Так возникает и проникает в сознание страх старости, очень сильный страх. Человек представляет, как в скором будущем он будет некрасивым, немощным, станет в тягость для окружающих. Он воображает себя в старости слепым или полуслепым, глухим, трясущимся, безобразным, слабым и несчастным. Страх старости — это то, с чем мы должны бороться с помощью позитивного мышления и естественного оздоровления.

Давайте порассуждаем логически. Во-первых, старости не существует. В нашем организме нет ни одной клетки старше 11 месяцев, кроме наших костей и зубов. Каждый день в нашем организме распадаются миллионы клеток и создаются миллионы новых. Так что возникает вопрос: «Какая часть нашего организма стара?»

Ответ таков: «В нашем организме нет старых частей». Это токсины, накапливающиеся в организме, ведут к преждевременному старению. Нашими врагами являются не дни рождения, а токсины.

Наверное, вам доводилось слышать выражение: «Человек настолько стар, насколько стары его артерии». Это совершенно справедливо. Можно встретить семидесяти-, восьмидесяти- и девяностолетних людей, имеющих чистые гибкие артерии. У них хорошее кровообращение, острое зрение, ясный слух. Они умеют поддерживать чистоту своих артерий, не засорять их балластными, токсическими веществами. Вместе с тем встречаются куда более молодые люди, которые уже засорили свои артерии и страдают от преждевременного старения.

Всегда помните, что есть два возраста — календарный и биологический. Календарный возраст не имеет значения, если вы живете по законам природы!

Созидайте свою нервную силу, поддерживайте ее запасы на высочайшем уровне, и вы навсегда изгоните мысли о старости.

Страх критики

Когда ослабевает нервная сила, человек начинает болезненно относиться к любой критике. Он искренне и сильно обижается на любые, даже малозначительные замечания в свой адрес.

Чтобы устранить этот страх критики, нужно понимать, что многие люди завистливы, и для них единственная возможность оправдания собственной слабости заключается в критике других. Фактически такое отношение может восприниматься вами как комплимент. Оно означает, что вы делаете что-то такое, на что другие неспособны.

Один замечательный ветеран политической арены часто говорил: «Если никто не отпускает колкостей в ваш адрес, не критикует вас, значит, у вас есть основания беспокоиться о том, что вы не делаете ничего полезного».

Что бы вы ни делали, помните: ни одно ваше дело, ни один ваш поступок не может понравиться абсолютно всем окружающим вас людям. Тех, кто похвалит вас за какое-либо дело, всегда будет примерно столько же, сколько и тех, кто раскритикует за него. Иногда, правда, критикующих бывает больше. Скорее всего, это означает, что дело вы сделали очень даже неплохо!

Почаще повторяйте себе: «Я живу с Богом в душе и в гармонии с природой. Мое тело, разум и дух сильны. Так почему я должен поддаваться чуждым мне влияниям?»

Живите в мудрости и правде, тогда мелкие нападки не смогут затронуть вас. Вы станете невосприимчивы к клевете, к сплетням недостойных людей.

Страх потери любви

Когда ослабевает нервная сила, у человека возникает навязчивое ощущение неполноценности. Он теряет уверенность в себе. Ему начинает казаться, что дорогие люди разлюбят его — такого...

Существует единственная возможность победить этот страх. Она заключается в том, чтобы укреплять свою нервную силу, ведя естественный, здоровый образ жизни.

Ревность — это чувство, с которым необходимо бороться. Вы можете любить человека, но это не означает, что он является вашей собственностью. Укрепляйте свою нервную силу, и вы преодолеете чувство ревности и страх потерять свою любовь.

Любите сами! Любовь — великая сила. Любите, и вы будете любимы.

Помните, что вы никогда не сможете потерять того, кого по-настоящему любите и кто по-настоящему любит вас.

А если потеря все-таки случится, вспоминайте классические строки:

Лучше познать любовь и потерять, чем не познать ее вовсе.

Не бойтесь одиночества! Человек остается одиноким до тех пор, пока он сам этого хочет.

В мире всегда найдется тот, кто нуждается в вашей любви и сможет полюбить вас. Ищите этого человека — и обязательно найдете. Ваша уверенность в этом будет расти с укреплением вашего здоровья и нервной силы.

Страх смерти

Страх смерти вползает в наше сознание, когда ослабевает нервная сила.

Некоторые люди практически постоянно живут под страхом смерти. Эта болезненная мысль о смерти становится причиной многих физических болезней и психических заболеваний.

Страх смерти лишен смысла. Пока мы живы, смерть где-то вдали от нас. А когда мы умрем, нам уже незачем будет ее бояться.

И помните слова Шекспира:

Трусы умирают много раз, прежде чем умереть совсем.

Можно ли победить страхи?

Безусловно, можно. Умножая вашу нервную силу, вы сможете победить любой страх, проникший в ваше сознание. Только вы должны понимать: преодоление страха требует затрат физической, умственной и духовной энергии.

К счастью, хоть вам и предстоит самостоятельно бороться со своими страхами, вы в этой борьбе не одиноки. Мудрость веков помогает вам. На страницах Ветхого и Нового Завета можно найти источник духовной энергии, помогающий в борьбе со страхом.

Вот некоторые выдержки:

Бог — это наше прибежище и наша сила. Это самая действенная помощь в беде. Поэтому мы не должны бояться.

* * *

Бог — мой свет и мое спасение. Кого я должен бояться? Бог — сила моей жизни; так кого я испугаюсь?

* * *

Бог не дал нам чувства страха, а только энергию, любовь и здравый ум.

* * *

Нет страха в любви, истинная любовь изгоняет страх.

Не убегайте от страхов

Не думайте, будто, спрятавшись в панцирь, исступленно твердя: «Я ничего не боюсь!», вы сможете победить свои страхи. Поступая таким образом, вы просто стараетесь убежать от них. Но страхи все равно догонят вас, рано или поздно.

Не убегайте от страхов, анализируйте их и воспринимайте как разновидность физических ощущений.

Чем сильнее будет ваше сопротивление, тем быстрее будут ослабевать все ваши страхи. Если же вы пойдете на попятную, страхи очень скоро овладеют вашей душой сполна. А там и до панических атак недалеко. Опустив руки в борьбе со страхами, вы становитесь на путь потери психического и физического здоровья, открываете двери всем болезням.

Жалость к себе не поможет

Еще один демон, которому вы должны противостоять, — это жалость к себе. Жалея себя, вы только даром растрачиваете свою энергию и блокируете симпатию и помощь окружающих.

Если настоящее горе войдет в вашу жизнь, встретьте его с открытой душой и знайте, что время принесет вам облегчение. Будьте уверены: каждому человеку посылаются только те испытания, с которыми он может справиться! Непосильных задач Высшие силы нам не задают. Значит, нужно смело идти вперед и решать поставленные задачи. Другого пути нет.

Не смиряйтесь с поражением

Если что-то не удается сделать, не позволяйте себе смириться с поражением. Как правило, окончательные поражения в нашей жизни случаются крайне редко, жизнь всегда дает еще и еще один шанс исправить ситуацию. Надо только не проглядеть эти шансы.

Никогда не сдавайтесь!

Не живите в прошлом

Вы не можете изменить свое прошлое, все уже случилось. Но вы можете и должны научиться извлекать из прошлого уроки. Эти уроки помогут вам не повторять прежних ошибок.

Удивительно, но в мире живет очень много людей, которые раз за разом совершают одни и те же ошибки. Про таких говорят, что жизнь их ничему не учит. А ведь опыт нам дается именно для того, чтобы мы учились. Анализируйте свое прошлое, учитесь на своих ошибках — и постепенно вы будете ошибаться все реже и реже.

Бесполезно корить себя за что-то совершенное или же несовершенное. Такое «самоедство» только отнимает у вас силы, уменьшает вашу жизненную энергию.

Но даже если прошлое было счастливым и безоблачным, нельзя жить в нем! Обязательно надо идти вперед, иначе человек начинает развиваться «в обратную сторону», деградировать.

Держите темперамент под контролем

Когда вы впадаете в гнев, то расточаете вашу нервную силу, растрачиваете драгоценную нервную энергию. Это может привести к физическому и нервному истощению.

Если вы чувствуете, что ваш темперамент выходит из-под контроля, начинайте считать про себя. Считайте до тех пор, пока полностью не успокоитесь.

Постарайтесь быть сдержанными в словах. Не говорите ничего, о чем впоследствии сможете пожалеть.

Если вы раздражены, займитесь какой-нибудь энергичной физической работой. Хорошо помогает быстрая прогулка на открытом воздухе. Постарайтесь выйти из той ситуации, которая ввела вас в такое возбужденное состояние. Плавание, работа по дому или в саду — любой вид физической работы или упражнений поможет усмирить ваш темперамент и конструктивно использовать свою нервную силу.

Никогда не прибегайте к физическому насилию, когда ваш темперамент выходит из-под контроля. Так совершаются преступления. Последствия подобных действий могут быть настолько печальны, что вся ваша будущая жизнь пойдет под откос. Разве к этому вы стремитесь?

Учитесь направлять бушующую в вас нервную энергию в такое русло, чтобы она не нанесла вреда ни вам, ни кому-либо еще.

Мысли формируют личность

Если ваши мысли направлены на то, что ассоциируется с разрушением, то рано или поздно разрушительные процессы коснутся и вас. Не тратьте энергию на самообвинения, обиды, страхи, жалость к себе. Двигайтесь вперед с новой энергией. Устремляйтесь в будущее. Стройте конкретные жизненные планы. Рисуйте в воображении свое будущее. Вы можете изменять свои планы и мечты, но вы должны их иметь. Ваша внутренняя созидательная энергия должна двигать вас вперед, если вы хотите находиться в потоке жизни. Процесс движения в будущее дает энергию вашему мозгу.

Помните, что ваше тело зависит от ваших мыслей. Вы становитесь таким, каким себя воображаете. Интенсивная работа вашего ума обостряет его. Ставьте перед ним сверхзадачи, если хотите обладать умственной силой. Подобно телу, чем более активно работает ваш ум, тем лучшим он становится инструментом. Отдыхать умственно или физически — значит дряхлеть. Заставляйте мозг активно работать.

Гоните от себя плохие мысли. Пусть ничто и никто не остановит вас в вашем стремлении к внутренней силе и счастью.

Созидайте свою нервную силу

Созидать свою мощную нервную силу должны исключительно вы сами. Изо дня в день, из недели в неделю, из месяца в месяц, из года в год. Это ваша задача, ваша работа, никто другой сделать ее за вас не может.

Когда вы пойдете по этому пути, вы будете становиться все более сильными и энергичными. Этот путь поможет вам стать гармоничной личностью, наполнит жизнь радостью, умиротворенностью, спокойствием, подлинным счастьем. Вы должны наслаждаться своей жизнью. Царство Небесное — в каждом из нас. Но чтобы достичь небесного состояния радости жизни, необходимо прикладывать соответствующие усилия. Счастье не преподносится на серебряной тарелочке.

Урок третий

БОРЬБА СО СТРЕССАМИ

УРАВНОВЕШЕННОСТЬ НЕРВНОЙ СИСТЕМЫ

По законам мироздания природа всегда и во всем стремится к гармонии и равновесию. И если мы нарушаем эту гармонию, установленную природой, мы ставим под угрозу свое здоровье.

Существует три основных фактора, которые нарушают равновесие нервной системы: нервное истощение, нервное напряжение и депрессия.

Нервное истощение

Как мы с вами уже знаем, миллионы нервных клеток, составляющих нервную систему, можно рассматривать как резервуары нервной энергии. Количество нервной энергии, которое они содержат, и составляет наш нервный капитал.

Когда наши нервные клетки наполнены нервной энергией, мы чувствуем себя полными жизненных сил, физической и психической энергии. Никакая задача не кажется нам слишком сложной, никакое испытание не кажется слишком суровым. У нас вдвое больше жизненных сил, чем у среднего человека, и мы не знаем, что такое усталость. Мы имеем такой запас нервной силы в резерве, что чувствуем себя неутомимыми.

Если наши нервные резервуары заполнены только наполовину, значит, запасы нервной энергии наполовину истощены. Следовательно, наши жизненные органы и мускулы могут использовать только половину той нервной силы, которая необходима им для нормальной работы.

Истощение, нарушение деятельности нервной системы вызывает целый букет физических и психических расстройств и заболеваний. Поскольку работа каждого мускула, каждого органа, по сути, каждой клетки человеческого тела непосредственно зависит от нервов, дающих первоначальные импульсы жизни и энергии, то нервное истощение приводит к общему ослаблению организма и нарушению его функций.

Это совсем не означает, что вы навсегда останетесь истощены. Нервную энергию можно восстановить и преумножить.

Нервное напряжение (стресс)

При большом нервном напряжении много нервной энергии выделяется в короткое время, вызывая всплеск активности всех жизненных органов. Когда мы рассержены или испуганы, сердце бешено стучит, дыхание учащается, работа органов брюшной полости расстраивается, часто вызывая повышенную активность кишечника или рвоту. Организм входит в состояние стресса.

При стрессе расходуется много нервной энергии. Именно поэтому после внезапного испуга или вспышки гнева мы чувствуем себя опустошенными.

Но во время сильного нервного напряжения, даже если наши нервные ресурсы истощены, доведены до нижнего уровня, мы можем совершить практически невозможное за счет очень сильного всплеска энергии. Откуда берется эта энергия? Все очень просто: организм задействует все имеющиеся ресурсы, включает резервные силы. С одной стороны, это хорошо, ведь мы получаем возможность справиться с возникшими в экстремальной ситуации проблемами. Но это и плохо, ведь мы расходуем все запасы энергии и остаемся практически на нуле.

Поэтому не стоит надеяться, что в крайнем случае наш организм перейдет на резервное обеспечение энергией. Лучше регулярно созидать мощную силу, обеспечивающую полноту наших ресурсов и уверенность в собственных возможностях.

Депрессия

Депрессия означает перекрытие каналов нервной энергии, подобно тому как вы перекрываете воду для полива в саду. Поэтому независимо от того, насколько полны энергией ваши нервные резервуары, жизненные органы в результате депрессии не получают необходимой нервной энергии. Горе и печаль могут, например, привести к такой депрессии, которая за короткое время вызовет смерть человека. Выражение «умер от разрыва сердца» относится как раз к таким случаям. Действительно наступает паралич сердца. Депрессия оказывает прямое и мощное паралитическое действие на жизненные органы. Тревога, уныние губят здоровье, молодость, саму жизнь.

Не думайте, что вам удастся избежать тревог в вашей жизни. Но, обладая запасом нервной силы, вы сможете их преодолеть.

Когда наша нервная сила истощена, мы чувствуем умственную и физическую усталость, которую удается преодолевать только за счет больших волевых усилий. Это происходит, если мы подвержены стрессам. Чтобы преодолеть усталость, мы используем вредные стимуляторы — чай, кофе, алкоголь. Эти стимуляторы еще больше истощают нашу нервную систему. Подобный образ жизни может привести к полному краху здоровья, как физического, так и психического. И еще не старый биологически человек превратится в развалину.

КАК БОРОТЬСЯ СО СТРЕССОМ?

Самое главное, чему вы должны научиться, это умение следовать законам Бога и природы. Воспринимайте каждый день как маленькую жизнь и делайте ее настолько совершенной, насколько можете.

Помните: что вы посеете в одном периоде вашей жизни, то пожнете в другом. Живите сегодня хорошо, и тогда вы будете иметь завтра лучшее. Старайтесь, чтобы каждый ваш день рождения был отмечен тем, что вы стали здоровее физически и духовно.

Жить долго и счастливо — это искусство. Человек, который сознательно стремится к тому, чтобы продлить свою жизнь, быть здоровым и счастливым, имеет шанс достигнуть этого.

Медитация — важный шаг на пути к здоровой нервной системе

Чтобы иметь сильную и здоровую нервную систему, нужно дважды в день (утром и вечером) выделять время для медитации. Во время медитации наш ум вводится в состояние, в котором он способен накапливать внутреннюю энергию. Впоследствии эта энергия передается всему нашему организму, каждому органу.

С помощью медитации вы создаете в здоровом теле здоровый дух, открываете неограниченные резервы энергии и творческих, интеллектуальных способностей, которые заложены в каждом из нас.

Медитация позволяет найти баланс между телом и духом. Она расширяет сознание, способствует установлению душевного спокойствия. Вы приобретаете способность решать любые проблемы, возникающие в вашей жизни.

Во время утренней медитации вы можете спланировать предстоящий день. Во время вечерней медитации вы имеете возможность оглянуться на прошедший день, оценить свои достижения и выявить ошибки, продумать, как их исправить в будущем.

Во время медитации тело испытывает состояние физического расслабления, более глубокого, чем во сне. Исследования показали, что в состоянии медитации пульс, дыхание, обмен веществ замедляются в большей степени, чем при обычном сне. После тридцатиминутной медитации человек чувствует себя отдохнувшим и посвежевшим в большей мере, чем после сна.

Со временем эффект облегчения и расслабления, испытываемый в период медитации, распространяется на целый день и оказывает успокаивающее воздействие на человека, его мироощущение, отношение к окружающим. Степень вовлечения человека в эмоциональные проблемы уменьшается. Это не значит, что уменьшается эмоциональность человека. Как раз наоборот, она углубляется, но достигает большей сбалансированности и стабильности. Медитация устраняет причины напряженности естественным путем (в отличие от транквилизаторов). В процессе медитации обостряются ум и чувства.

Освобождение от напряжения и физический отдых оказывают на здоровье ежедневно медитирующих людей положительное воздействие. Медитация помогает наладить работу всех систем жизнедеятельности, сохранить ритм их функционирования.

Каждый человек способен медитировать. Эффект регулярной медитации проявляется сразу. Никакой подготовки не требуется для того, чтобы начать заниматься и получать устойчивые результаты.

Целительные силы сна

Сон — один из главных источников, в котором мы черпаем нашу нервную силу. Во время сна вы не только возобновляете запас нервной энергии, но и пополняете ее резерв. Вы должны сознавать важную роль глубокого сна в достижении гармонии, здоровья и счастья.

Усталый и ослабленный человек после 8—10-часового сна обычно не успевает полностью отдохнуть. Напряжение, накопившееся в течение дня, он не в состоянии снять даже во сне.

Хороший сон — это сон глубокий, регулярный, без сновидений. После восьми часов такого сна вы должны просыпаться полные свежести и бодрости. Если же во сне вас преследуют страхи, вы испытываете чувство тревоги, вас посещают непонятные и неприятные образы, это сон нездоровый. Такой сон не принесет вам пользы; он может быть даже хуже бессонницы.

Хороший сон дается человеку ценой поддержания дисциплины здорового образа жизни. Избегайте лени. Пусть ваше тело испытывает приятную усталость, ваш мозг будет спокоен — и вы достигнете того качества сна, к которому стремится природа.

Но, несмотря на то что физической и умственной работой вы можете вызвать усталость, она сама по себе еще не обеспечивает возможности полноценного отдыха. Вы можете быть слишком уставшим или взволнованным, чтобы заснуть. Если вы, например, пишете или читаете детективные романы и провели вечер за этим занятием, заснуть вам будет трудно. Но если ум и тело ваше нагружаются умеренно, разумно, тогда сладкий, здоровый сон вам обеспечен.

Ночные кошмары возникают у людей вследствие отравления крови токсинами и сами продуцируют токсины. Если вы ворочаетесь во сне и часто просыпаетесь, то можете не сомневаться, что процессы жизнедеятельности вашего организма нарушены.

Оценивать нужно продолжительность сна не по времени, которое вы находитесь в постели, а по тому времени, когда вы наслаждаетесь глубоким естественным сном. Четыре часа первоклассного сна более ценны для организма, чем восемь часов сна плохого. Хороший сон более значим для сохранения вашей молодости и нервной силы, чем любые другие омолаживающие средства.

Как подготовить себя к спокойному, глубокому сну?

День должен быть активным, но не изнуряющим. Ужин должен быть ранним и легким.

Мозгу следует дать пару часов отдыха перед сном, предавшись приятному чтению или занятной беседе.

Осторожно относитесь к телевидению. Просмотр какого-нибудь триллера или детектива может чрезмерно возбудить ваши нервы и ухудшить ваш сон. Программа о путешествиях или что-либо другое, что не возбуждает нервы, лучше всего подходит для вечерних часов. Но ни в коем случае не смотрите программ, в которых присутствуют жестокие сцены, убийства. Это яд для вашего мозга.

Вы должны спать на жесткой постели. Это позволит естественным образом расслабить мышцы.

Ширина кровати должна составлять не менее 36 дюймов (90 см). Если вы спите с супругом, то ширина кровати должна быть не менее 72 дюймов (180 см).

Надевайте удобное ночное белье, если вы его вообще носите. Приятное ощущение свободы и свежести дает сон совершенно раздетым, особенно в летнее время. В зависимости от сезона ваше ночное белье должно быть удобным и легким.

По возможности спите в отдельной кровати, хорошо выспаться можно только в одиночку.

Полезно иметь у кровати книжную полку, на которой расставлены ваши любимые книги, настраивающие на спокойный философский лад. Эти книги — ваши старые друзья. Порой бывает достаточно прочитать или перелистать несколько страниц, как вам захочется потушить свет.

Окно открыто. Подушка удобно лежит под головой. Вы дышите спокойно, сладко зеваете. Вас наполняет чувство тепла и благодарности за хорошо проведенный день. Мысли рассеиваются. Вы погружаетесь в сон.

Что мешает здоровому сну

Когда вы принимаете таблетки, вы не засыпаете, а самоотравляетесь. Это порочная привычка, которая может привести к полному нервному истощению организма. Снотворные средства имеют наркотический характер и потому опасны. Привыкание к ним со временем требует все больших и больших доз. Эти таблетки могут убить... и убивают.

Помните и о том, что кофе, чай, кола, табак могут вызвать бессонницу. Плотная еда поздним вечером также может ухудшить ваш сон.

Если сон не приходит

Если уснуть вам, несмотря на все принятые меры, все-таки не удается, вы можете применить против бессонницы несколько маленьких хитростей.

Один из наиболее эффективных способов засыпания заключается в том, чтобы имитировать ритм дыхания спящего человека. Примите абсолютно расслабленную позу и с закрытыми глазами дышите равномерно, как в глубоком сне. Отключите ваш мозг.

Если это не помогло, попробуйте считать до тысячи в ритме пульса, отмечая каждую сотню загибанием очередного пальца на руках. Как правило, сон наступает до того, как вы загнете последний палец.

И это не помогло? Ложитесь на живот, вытянув руки и спрятав их под подушкой, а голову повернув налево. Это естественная поза, в которой засыпают дети. Она хранится в нашем подсознании и помогает расслаблению.

Когда вы ложитесь на кровать, представьте себе, что вы как бы проваливаетесь сквозь матрас, сквозь кровать, сквозь пол все ниже, ниже, ниже, как только можете. Это еще один секрет расслабления.

О пользе дневного сна

Мексика, Испания, Италия, Швейцария, Франция — наиболее цивилизованные страны мира в вопросах отдыха. У них принято отдыхать в середине дня. Они обедают и затем ложатся спать. Благословение и хвала основателям такой традиции!

Этот здоровый обычай, который был распространен в южных штатах, современные американцы, к сожалению, считают роскошью. Отказ от дневного отдыха — это высокая цена, которую американцы платят за так называемый прогресс.

Тридцать минут дневного сна подзаряжают ваши «батареи», возвращают вас к жизненной борьбе обновленным.

Кроме того, ваш желудок требует после еды пищеварительной паузы. Пусть на короткое время ваше сердце как можно лучше снабжает кровью желудок.

Физическая активность на страже нервной системы

Нет ничего лучше для укрепления нервной системы, чем прогулка в энергичном темпе.

Когда вы упражняете свои мускулы, заставляете кровь энергично циркулировать по телу, глубоко дышите и наполняете легкие кислородом, вы ощущаете прилив энергии, жизненных сил. Вы будете есть с аппетитом и спать как ребенок.

Резервуары вашей нервной системы будут пополняться энергией, и вы почувствуете вкус к жизни. Чем больше времени вы проводите на свежем воздухе физически активно, тем больше нервной силы накапливается в вашем организме.

Люди, регулярно занимающиеся физическими упражнениями, более уравновешенны и свободны от тех эмоциональных проблем, которые встают перед физически неактивными личностями.

Это особенно наглядно проявляется в детском возрасте. Физически неактивный ребенок, отказывающийся играть с товарищами в подвижные игры, заниматься спортом, как правило, нервный, эмоционально нестабильный.

Активный ребенок, которому нравятся подвижные игры и спорт, эмоционально лучше сбалансирован, поскольку его энергия получает в этих занятиях целенаправленный выход. То же самое относится и к подросткам.

Независимо от вашего возраста, физические упражнения пойдут вам на пользу. Никогда не поздно припасть к источнику Великой Жизненной Энергии, которая дремлет в каждом из вас. Если вы хотите быть эмоционально уравновешенны, освободиться от нервных напряжений и стрессов, занимайтесь физическими упражнениями на открытом воздухе хотя бы один раз в день.

Когда вы чувствуете, что плохое настроение, беспокойство, тревога, нервное напряжение, депрессия охватывают вас, выходите на свежий воздух и активно двигайтесь. Иначе эти негативные эмоции могут нанести вам вред. Прогулка и другие физические упражнения на свежем воздухе прояснят ваши мысли, и вы сможете в ином свете увидеть ваши проблемы.

Гимнастика открывает новые возможности

Все внешние характеристики здоровья зависят от состояния внутренних органов и желез. Физические упражнения оказывают воздействие на внутренние органы, улучшая работу нервной системы, печени, легких, почек, всего пищеварительного тракта, щитовидной железы и т. д.

Люди Древней Индии, стремясь соединиться с Богом, старались очищать кровь и укреплять тело. Они разработали систему физической культуры под названием хатха-йога. Они верили в то, что человеческое тело создано для постоянных физических упражнений и, правильно упражняясь, можно сохранить здоровье.

Выполнение гимнастики открывает возможности сформировать новое поколение мужчин и женщин. У мужчин появится больше сил для своей ежедневной работы, а также достаточный запас энергии, чтобы посвятить свободное от работы время своим любимым занятиям. Выполняя физические упражнения, они смогут оставаться в расцвете сил лет на сорок дольше тех, кто ленится делать зарядку. С помощью физкультуры мужчины могут надолго сохранять свое тело молодым.

Женщина с помощью физических упражнений способна стать такой, какой она мечтает быть — привлекательной, непринужденной, безмятежной, неувядаемой и всегда женственной.

Независимо от вашего возраста вы можете приступить к выполнению физических упражнений, чтобы повернуть свои биологические часы вспять. Вот некоторые из тех преимуществ, которые даст вам регулярное выполнение физических упражнений.

- Упражнения улучшат циркуляцию крови, обогатят ваш организм кислородом. Вы почувствуете прилив энергии.
- С выполнением упражнений придет освобождение от нервного напряжения, стрессов. Напряжение локализуется в наименее подвижных частях тела, прежде всего в спине, позвоночнике, шее. Упражнения растянут эти части тела, восстановят их юношескую гибкость. И вы почувствуете расслабление и облегчение.
- Уйдет хроническая усталость, являющаяся следствием недостаточной циркуляции крови в головном мозге. Упражнения принесут обогащенную

кислородом кровь в этот жизненно важный орган, что наполнит его жизненной силой, энергией.

* Нервная система придет в норму. Ничто не может успокоить нервы лучше, чем полчаса энергичных занятий. Они способствуют крепкому ночному сну, который очень важен для сохранения спокойствия и безмятежности.
* Упражнения помогают улучшить самоконтроль над эмоциями, способствуют сохранению самообладания.

Чтобы успешно бороться со стрессом и нервным истощением, возьмите в привычку ежедневно выполнять несложный комплекс упражнений.

Идеальное упражнение

Это упражнение растягивает почти каждую мышцу тела.

Встаньте, расставьте ноги. Поднимите вверх правую руку и, проведя ею над головой против часовой стрелки, согнитесь в поясе с выпрямленными коленями и коснитесь (или попытайтесь коснуться) большого пальца левой ноги. С первого раза вам не удастся сделать этого, но пытайтесь вытянуть руку как можно дальше. Когда ваша спина станет более гибкой, вы будете выполнять это упражнение с легкостью. Затем быстро и с силой отведите руку вверх над головой и разогнитесь. Все это должно быть одним непрерывным движением. Теперь повторите то же самое левой рукой. Взмахните левой рукой над головой и попытайтесь коснуться большого пальца правой ноги. Выполняя это упражнение, вдыхайте и выдыхайте с силой, делая выдох, прикасаясь к большому пальцу ноги, и вдох при смене рук. Повторите упражнение 10 раз.

Упражнение для улучшения циркуляции крови

Встаньте прямо, взмахните руками, скрестив их перед собой, и делайте руками полные круги в противоположных направлениях. Ритмично поднимайтесь на подушечках ступней при каждом взмахе руками. Глубоко дышите, делая вдох при движении рук вверх и выдох при движении их вниз. Повторите упражнение 10 раз.

Одно из самых древних и лучших упражнений

Это упражнение позволяет вам сохранить гибкость. Встаньте прямо, носки и пятки вместе, колени выпрямлены. Поднимите руки над головой и вытяните их вверх, как только можете. Втяните диафрагму, чтобы возникло ощущение, будто она коснулась спины. Согнитесь в поясе, удерживая колени прямыми, и попытайтесь коснуться носков кончиками пальцев, но не перенапрягайтесь. Вы должны тренироваться и вскоре легко будете касаться своих носков. Выдыхайте, наклоняясь, и вдыхайте, возвращаясь в исходное положение. Повторите упражнение 15 раз.

Упражнение для развития чувства равновесия

Встаньте на носки, колени вместе, глаза закрыты, руки вытянуты вперед. Оставайтесь в таком положении в течение 20 секунд, не сдвигая ступней и не открывая глаз. Выполняйте это упражнение по 10 раз.

Упражнение для боковых мышц тела

Эти мышцы известны как опоясывающие. Они помогают сохранять вашу талию стройной и крепкой.

Возьмите длинную палку (подойдет и черенок от швабры), расположите ее, как коромысло, за шеей и плечами. Поворачивайтесь от пояса влево и вправо столько раз, сколько сможете. Начните с 10 поворотов в обе стороны.

Упражнение, развивающее силу рук, спины, ног

Встаньте перед стеной. Ступни расположены на расстоянии около 80 см от стены. Упритесь в стену руками так, чтобы стена поддерживала вас. Затем поднимитесь на носки и давите от носков через тело к кистям и на стену. В этом положении вы можете также делать отжимания, сгибая локти и касаясь подбородком стены.

Эффективнейшее упражнение для укрепления мышц нижней части живота и спины

Лягте на спину, руки заведите за шею. Удерживая ноги вместе, поднимите их в вертикальное положение, а затем медленно опустите на пол. Начинайте выполнять это упражнение с 5 повторений, а затем увеличивайте их число по мере укрепления мышц живота и спины.

Вращение торсом для укрепления мышц талии

Сядьте на пол с вытянутыми вперед ногами и руками, заведенными за шею. Скрутите верхнюю часть тела влево насколько можете, затем повернитесь вправо. Выполняйте по 10 скручиваний в обе стороны.

Упражнение для стройности бедер

Сядьте, расположите руки рядом с бедрами, ноги вытянуты. Подтяните сдвинутые ноги к себе, пока ваши пятки почти не соприкоснутся с ягодицами, а затем снова вытяните их вперед.

Выполняйте это упражнение по 10 раз и увеличивайте количество по мере возрастания вашей силы.

Упражнение для укрепления бедер, живота и спины

Исходная позиция: лягте на правый бок, левая кисть на бедре, а правая поддерживает голову. Поднимайте левую ногу вверх и опускайте вниз быстрым движением. Выполните по 50 движений на каждом боку.

Упражнение для выпрямления спины

Лягте на пол на спину, руки по бокам. Сделайте продолжительный и полный вдох и прижмите нижнюю часть спины к полу на 5 секунд, затем расслабьтесь. Повторите упражнение 7 раз, каждый раз выдыхая с облегчением.

Все эти упражнения хороши для мужчин и женщин!

Является ли возраст препятствием для выполнения физических упражнений? Ответ определенный — нет! Никто не может считать себя слишком старым для выполнения физических упражнений.

Улыбайтесь!

Старая пословица гласит: «Смейся — и весь мир будет смеяться вместе с тобой. Если ты плачешь, то плакать будешь в одиночестве». Смех укрепляет здоровье, делает нас стрессоустойчивыми.

Сделайте сердитое лицо — и вы почувствуете себя сердитым, готовым бурно реагировать на малейшую обиду, реальную или мнимую. Такое психическое состояние подавляет нервную деятельность. Смех оказывает противоположный эффект.

Попробуйте прямо сейчас отвлечься на минуту от чтения и улыбнуться. Почувствовали ли вы внутри необъяснимую радость, хотя в данный момент у вас и не было повода для этого? Наверняка!

Так что улыбайтесь! Улыбайтесь, когда вы читаете и когда отдыхаете. Улыбайтесь, когда вы рассержены или печальны. В конце концов улыбка на вашем лице придаст ему веселое выражение, а внутренняя улыбка подарит вам ощущение веселья и счастья.

Читайте веселые книги, смотрите веселые телепередачи. Избегайте людей с угрюмым, мрачным выражением лица.

Эмоции передаются. Когда вы находитесь среди радостно настроенных людей, то сами испытываете радость. Улыбайтесь, и вы получите улыбку в ответ.

Закройте сердце
для отрицательных эмоций

Не будьте обидчивы. Если вам сказали что-то обидное, забудьте об этом сразу. Не стоит этому придавать какое-либо значение и тратить драгоценную нервную силу.

Вокруг немало психически нездоровых людей. Не опускайтесь до их уровня. Старайтесь избегать их на своем жизненном пути.

Пусть другие ненавидят, завидуют, ревнуют, живут отрицательными эмоциями. Но не вы! Будьте сильнее, не позволяйте подобным эмоциям отравлять вашу душу. Неконтролируемые эмоции могут сделать вас нервнобольным.

Не ищите в людях совершенства! Помните, что все мы — слабые создания, идеальных людей нет. Старайтесь видеть в людях, с которыми вы встречаетесь, только хорошее.

Вода побеждает стресс

Вода способна очистить и восстановить организм, поскольку удаляет через поры кожи выделяющиеся токсины. Кроме того, она оказывает глубокое гармонизирующее воздействие.

Ежедневно принимайте душ. Попеременно усиливайте и уменьшайте напор воды, это прекрасно влияет на функции всех органов, а также готовит тело к возможным климатическим перепадам.

Особенно полезен такой душ метеозависимым людям, ведь погодные изменения — такой же стресс для человека, как любая иная травмирующая ситуация. Только при психологическом стрессе угнетаются эмоции, психика, а при климатическом нарушается правильное функционирование всех органов, поскольку нервные волокна не успевают быстро перестроить свою работу и продолжают передавать теперь уже неправильные команды.

Купайтесь в холодной воде. Однако не начинайте такие купания спонтанно, к холодным водным процедурам следует сначала привыкнуть. После того как вы вымыли свое тело, можете постепенно снижать температуру воды. Когда вы привыкнете к холодному купанию, оно будет доставлять вам истинное удовольствие. Холодная вода очень способствует укреплению нервов. Чтобы усилить эффект, не пользуйтесь полотенцем для вытирания тела. Применяйте ручной массаж, продолжая его до тех пор, пока тело не окажется сухим. Затем сухое тело энергично разотрите грубым полотенцем. Эта процедура прекрасно тонизирует нервные окончания кожи, укрепляет нервы, вызывает прилив жизненной энергии.

Иногда полезно купание не в ледяной, а в теплой или горячей воде, особенно если у вас был тяжелый день. Ваши нервы предельно напряжены, вы за день пережили стресс, и теперь вам нужно его снять. Купание в холодной воде только ухудшит ваше состояние.

Наибольшие резервы нервной силы имеют спортсмены-пловцы. Именно плавание оказывает расслабляющее, успокаивающее воздействие на всю нервную систему. Многие люди полностью излечились от своих болезней, вызванных стрессами, одним только плаванием (включая, конечно, правильное питание). У них исчезли все симптомы недугов, которые не могли снять ни таблетки, ни массаж, ни психоаналитики.

Солнечная энергия на страже здоровья

Чудесным оздоравливающим эффектом обладает и солнце. Наше светило является источником энергии. Если бы солнечное тепло не поступало на Землю, мы все быстро погибли бы от холода. Все, что живет и растет, нуждается в солнечной энергии. Человек запеленал себя в одежды, поэтому он бледный, хилый, болезненный. В наши дни мы говорим: «Одежда делает человека». И бедные женщины доходят до отчаяния в попытках угнаться за модой.

Лучи солнца, попадая на обнаженное тело, снабжают человека жизненной динамической энергией, вливают силы и энергию в его нервы. Животворные солнечные лучи важны для здоровья, счастья и долгой жизни.

У большинства людей организм сегодня настолько зашлакован, что, когда они подставляют свои обнаженные тела под солнечные лучи, кожа становится огненно-красной, покрывается волдырями, люди заболевают.

Помните, что солнечные ванны прекрасно выполняют функцию выведения токсинов из организма. Но при этом нужно тщательно выбирать время приема солнечных ванн. Раннее утро и позднее послеполуденное время — лучшие периоды для приема солнечных ванн. Только те, кто приучил свое тело к интенсивному воздействию ультрафиолетовых лучей, могут загорать в дневное время.

Утренние солнечные лучи — это «холодные» лучи. Принимайте солнечные ванны с 7 до 11 часов утра. Затем отдыхайте от солнца до 3 часов дня. В этот период возрастает интенсивность инфракрасного теплового излучения. С 3 часов дня и до заката солнца можно снова загорать под «холодными» солнечными лучами.

Эти «холодные» солнечные лучи обновляют кожу, делая ее гладкой и золотистой. Солнце тонизирует измотанные нервы. «Холодные» солнечные лучи помогают расслабиться. Если вы сможете сочетать сон с солнечной ванной, это поможет наполнить резервуары вашего организма нервной силой.

Заменяйте плохие мысли хорошими

Нелегко взять под контроль горестные чувства. Но это можно сделать с помощью замены мыслей.

В каждый момент времени наше сознание занято только одной мыслью. Усилием воли можно вытеснить из сознания горестные мысли и заменить их счастливыми воспоминаниями.

Печаль — это бесполезная трата нервной силы. Слезы не могут устранить причину горя или любого рода душевных мучений. Бесполезную трату нервной энергии можно приостановить, заменяя мысли. Пусть ваш ум занимают созидательные, счастливые мысли.

Вы можете стать человеком, полным динамической жизненной энергии. Вы можете создать необъятный запас могучей нервной силы. Ничто не может остановить вас, кроме вас самих. Помните, что жизнь течет по вашим нервам, и вы обладаете энергией, чтобы накапливать нервную силу, наполняющую вас. Но для этого вы должны работать. Ее не преподнесут вам на серебряном блюдце. Все хорошее в жизни нужно заработать. Все в жизни имеет свою цену. Что вы вложите в созидание нервной силы, то и получите — ни больше, ни меньше.

Урок четвертый

НАТУРАЛЬНОЕ ПИТАНИЕ

АУТОИНТОКСИКАЦИЯ — ПУТЬ К ПРЕЖДЕВРЕМЕННОМУ СТАРЕНИЮ

Счастливая жизнь заключается в умиротворенности ума. Невозможно обеспечить умиротворенность ума, если мозг страдает от неправильного питания.

Большинство умов в наше время больны. Процент умственно отсталых детей сегодня высок как никогда. Также очень велик процент людей, страдающих от психических расстройств. Путешественник из космоса, бросив взгляд на Землю, скажет: «В какой сумасшедший дом вы превратили вашу прекрасную планету...»

Мы живем в нервном мире. В больном мире. Многие наши современники обращаются к наркотикам, лишь бы уйти от реальности.

Что мы должны делать, чтобы противостоять неблагоприятным воздействиям среды, в которой живем? Мы должны оздоравливать нашу нервную систему и наш головной мозг правильным питанием.

Неправильный образ жизни не приходит в год совершеннолетия, когда мы начинаем сами принимать решения и заботиться о себе. Он закладывается в детстве.

Многие матери не кормят своих детей грудью. Дети лишены самой необходимой для них пищи — материнского молока, получая взамен питание, перегруженное рафинированной белой мукой, белым сахаром и смертельно опасной солью.

Чтобы противостоять нервным нагрузкам, стрессам, укрепить здоровье, необходимо правильное натуральное питание, которое снабжает организм важными для жизнедеятельности веществами, формируя здоровое тело. Как уже говорилось, в здоровом теле — здоровый дух.

Ежедневно на протяжении многих лет питаясь пищей, лишенной витаминов и минералов, мы день за днем лишаем себя физического и психического здоровья, сокращаем свою жизнь.

Большинство людей не живут, а только существуют. Их организм переполнен токсичными веществами настолько, что жизнь становится мукой. Мало кто по утрам встает бодро, с нетерпеливым желанием продолжить удивительные приключения, называемые жизнью.

И это понятно, ведь огромное количество людей на земном шаре на протяжении практически всей своей жизни испытывает тяжелую аутоинтоксикацию.

На фоне аутоинтоксикации возникает множество недугов — от насморка до экземы. Аутоинтоксикация возникает потому, что кровь имеет кислую реакцию, а не щелочную.

Нейтрализовать кислую кровь, в которой превосходно размножаются микробы, можно, только насытив ее щелочными компонентами. Необходимо переключиться на щелочную диету и избегать пищевых продуктов с кислой реакцией.

ПРАВИЛА ЩЕЛОЧНОЙ ДИЕТЫ

Щелочная диета направлена на очищение и восстановление. Ее основу составляют овощи и фрукты, которые необходимо принимать в пищу свежими, без термической обработки. Но переход к такому рациону должен быть плавным, без резкого скачка. Особенно если раньше ваш рацион состоял преимущественно из вареной пищи: мясо, яйца, хлеб и др. Постепенно количество таких продуктов и частоту их употребления необходимо снижать, употребляя взамен свежие овощи и фрукты, пока они не составят 60 % вашего рациона.

- Во время щелочной диеты необходимо употреблять до 80 % щелочных продуктов и 20 % кислых.
- Начало диеты должно быть плавным, резкий переход к натуральному питанию может негативно отразиться на пищеварительной системе.
- Перед каждым приемом пищи расслабляйтесь, принимайте комфортную позу.
- Овощи ешьте сырыми или вареными в виде салата и других блюд.
- На завтрак предпочтительно съедать 1 желтый и 1 зеленый овощ.
- Фрукты и сухофрукты могут употребляться самостоятельно или в качестве дополнения к другим блюдам.
- Зерновые продукты ешьте не чаще 3 раз в неделю.
- Употребление мяса должно быть очень умеренным. Выбирайте постную говядину, телятину и баранину, а из птицы — цыпленка и индейку. Ешьте мясо не чаще 2—3 раз в неделю.
- Рыбу ешьте не более 2—3 раз в неделю.
- Во время диеты можно употреблять свежие не высушенные орехи и семечки, зеленые бобы и горох, которые богаты растительными белками.

- Тщательно прожевывайте пищу (30—50 жевательных движений на один кусок пищи).
- Ничего не пейте после еды, кроме травяного чая.
- Между приемами пищи пейте воду, фруктовые соки и травяные чаи.
- Для приготовления пищи можно использовать оливковое, подсолнечное, соевое и арахисовое масла без каких-либо химических примесей.
- При переходе на натуральную диету придется отказаться от всех девитаминизированных, мертвых продуктов цивилизации, таких как кофе, чай, алкоголь и различные тонизирующие напитки.
- На десерт в минимальных количествах можно употреблять естественные сласти: мед, кленовый сироп, неочищенную патоку и коричневый сахар.
- Питание должно быть стабильным: если сегодня вы не употребляли мяса, то завтра нельзя злоупотреблять им.
- Не ешьте после 18.30, но можете пить травяной чай.

Примерное меню вегетарианской диеты

Завтрак

Большая тарелка свежетушеных фруктов, богатых витаминами группы В, с добавлением проросшей пшеницы и меда. Соевое или миндальное молоко. 2 ломтика хлеба из непросеянной муки с арахисовым маслом.

Ленч

Салат из нашинкованной капусты. Чашка овощного супа с цельным ячменем. Печеные бананы.

Обед

Комбинированный салат из сырых овощей. Гренок из непросеянной муки с жареными грибами.

Тарелка печеных бобов. Печеное яблоко с проросшей пшеницей.

Примерное меню смешанной диеты

Завтрак
Целый грейпфрут, 2 яйца.

Ленч
Салат из сырых овощей с творогом. Жареный или печеный цыпленок с зеленью горчицы. Апельсин.

Обед
Нашинкованная капуста. Печень с луком. Тарелка свежего горошка. Хлеб. Конфитюр, подслащенный медом.

Планирование питания — увлекательное занятие. Моя книга о здоровой пище содержит 644 страницы интереснейших рецептов приготовления блюд, собранных по всему свету.

Продукты, которых следует избегать

Нужно старательно избегать продуктов, дающих кислую реакцию крови.

Какие же это продукты?

Для созидания могучей нервной силы следует избегать следующих цивилизованных «мертвых» продуктов и напитков.

- Рафинированный сахар и содержащие его продукты, такие как джемы, желе, мармелад, мороженое, шербеты, пирожные, конфеты, печенье, жевательная резинка, подслащенные фруктовые соки, засахаренные фрукты.

- Приправы, такие как кетчуп, горчица, соусы, маринады, зеленые оливки.
- Соль и соленые продукты.
- Шлифованный рис и перловая крупа.
- Жареные продукты.
- Насыщенные и гидрогенизированные жиры, маргарины, в том числе арахисовое масло, содержащее гидрогенизированный жир.
- Кофе — один из опасных врагов нервной системы, возбудитель и стимулятор. Не пейте даже слабый кофе, не отравляйте ваши нервы кофеином.
- Чай содержит кофеин и танин. Все это сильные возбудители нервной системы.
- Алкогольные напитки — смертельные яды для нервной системы. Когда у вас возникает потребность в алкоголе, можно сделать вывод, что в вашем организме не хватает витаминов группы В, кальция и других веществ, столь необходимых для нервной системы.
- Копченая рыба любых сортов.
- Табак в любом виде также является смертельным врагом вашей нервной системы.
- Свежая свинина и блюда из нее.
- Копченые мясопродукты, такие как ветчина, бекон, колбасы.
- Сушеные фрукты, содержащие диоксид серы и другие химические консерванты.
- Цыплята, выращенные с использованием стилбестрола и других стимуляторов роста.
- Консервированные супы, содержащие сахар, соль, крахмал, консерванты.
- Пищевые добавки, содержащие бензоат соды и другие химикаты.
- Белая мука. В ней полностью отсутствуют витамины группы В.

Несомненно, мысль о запрете даже части этих продуктов испугает вас, но если вы хотите продлить себе жизнь, то вам придется делать многое из того, что вначале приводит вас в ужас. Часто новая задача кажется трудной только потому, что вы ее себе таковой представляете. Принимайтесь за нее с мыслью о том, что решить ее легко, и все станет значительно проще. Довольно легко придерживаться диеты, составленной в основном из фруктов, овощей, салатов, орехов и семян. Никто не будет отрицать, что фрукты сочны, салатов можно приготовить огромное количество, а список овощей велик и разнообразен. Все орехи и зерна питательны и вкусны. Слегка поджаренные арахис, миндаль, грецкие орехи, семена подсолнуха аппетитны и полезны.

ВИТАМИНЫ ГРУППЫ В

Одним из наиболее важных пищевых элементов, от которых зависит наше здоровье, являются витамины В-комплекса. Когда организм получает достаточное количество этих витаминов, он может выдержать любые стрессы и нервные нагрузки, которые столь часто приходится испытывать нам в жизни.

Недостаток витаминов группы В нарушает естественный обмен веществ, а значит, работа всего организма; неизбежно ослабевает и иммунная система человека — это приводит к разнообразным заболеваниям.

Но современные «мертвые» продукты питания бедны этим жизненно важным ингредиентом. Цивилизованная диета страдает от недостатка витаминов В-комплекса, а следовательно, страдаем и мы.

Ужасная цена, которую мы платим за отсутствие витаминов В-комплекса в наших «цивилизованных» продуктах питания, заключается в упадке духа, распространенной в наше время склонности к самоубийствам, нервозности и хронической усталости.

Существует мнение, что усиленное употребление табака, алкоголя, кофе, чая, кола-напитков непосредственно связано с недостатком витаминов группы В.

Недостаток этих витаминов в организме бывает трудно определить. Недомогания кажутся незначительными. Эпизодические головные боли. Слабость время от времени. Периодические расстройства желудка, запоры, от которых избавляются с помощью сильных слабительных.

Спросите человека с такими жалобами: «Как вы себя чувствуете?» Как правило, ответ будет: «Я чувствую себя хорошо».

Человек настолько привыкает к своим недомоганиям, что считает их нормой.

У всех витаминов группы В много общего, и поэтому их часто рассматривают в комплексе. Они чаще всего содержатся в одних и тех же продуктах питания.

Составляющие группы В

Тиамин (B_1)

Витамин группы В тиамин нужен для такого обмена веществ, в ходе которого из глюкозы высвобождается энергия. К первым симптомам дефицита данного витамина относится утомляемость, слабость и мышечная атрофия, возможны судороги ног.

Рибофлавин (B_2)

Наиболее часто встречающимися симптомами дефицита рибофлавина признаются повреждение отдельных участков кожи, а также воспаление мягких тканей, имеющихся вокруг рта или носа, ощущение дискомфорта в случае яркого света.

Никотиновая кислота (B$_3$)

Данный витамин нужен для обмена веществ, здоровья кожи, нервной системы и желудочно-кишечного тракта.

Пантотеновая кислота (B$_5$)

Витамин B$_5$ задействован при обмене жиров, углеводов, липидов и отдельных аминокислот. Дефицит приводит к воспалению кожи.

Пиридоксин (B$_6$)

Нехватка витамина B$_6$ может появляться из-за слишком плохого его всасывания. При дефиците этого витамина возникают повреждения кожи, а также невропатия, судороги, плюс онемение и бессонница.

Фолиевая кислота (B$_9$)

Дефицит фолиевой кислоты вызывает анемию и замедление роста.

Цианокобаламин (B$_{12}$)

Витамин необходим для обмена жиров и углеводов, нормального функционирования нервной системы.

Продукты, богатые витаминами группы B

Вы должны планировать свое питание таким образом, чтобы в организм поступали все витамины B-комплекса.

Существует множество вкусных пищевых продуктов, которые обеспечат вас этими важнейшими для созидания мощной нервной силы витаминами. Вот основные из них.

- Пивные дрожжи стоят на первом месте. Этот важный продукт можно употреблять в самых разных видах.

  Моей дочери Патриции и мне больше всего нравится коктейль, приготовленный с использованием пивных дрожжей.

  Вот его рецепт: 3 чашки натурального фруктового сока (апельсинового, грейпфрутового, ананасового или томатного), 1 ст. ложка пивных дрожжей, 1 ст. ложка проросшей пшеницы, мед по вкусу, 1 ч. ложка рисовых отрубей, 1 яичный желток. Это отдельная еда.
- Натуральное неподсоленное арахисовое масло является прекрасным источником витаминов В-комплекса. Также полезно употреблять сырой и свежеподжаренный арахис.
- Цельные зерна, например ячменя, мука из цельного зерна.
- Сырые и сушеные бобы, например соевые.
- Сырые проросшие зерна пшеницы.
- Рисовые отруби.
- Зеленые овощи и их ботва: репа, горчица, шпинат, брокколи, капуста.
- Фрукты: апельсины, грейпфруты, бананы, авокадо, мускусная дыня.
- Грибы.
- Натуральная патока.
- Мясо и молочные продукты: пахта, творог, сырое молоко, снятое молоко, порошковое молоко, бифштексы, печень, сердце, мозги, бараньи почки, цыплята. Морепродукты: омары, крабы.

К нашему счастью, витаминами В-комплекса богаты многие продукты как животного, так и растительного происхождения.

ВАШ ОРГАНИЗМ НУЖДАЕТСЯ В КАЛЬЦИИ

Из 30 минералов, необходимых нашему организму для поддержания здоровья и укрепления нервной системы, больше всего он нуждается в кальции. Кальций в достаточном количестве дает нам здоровые зубы, прочные кости, железные нервы, крепкие мускулы и упругую кожу, правильную осанку, хороший сердечный ритм, острый ум и здоровые органы.

Недостаток кальция в организме провоцирует появление порядка полутора сотен различных заболеваний.

Принято считать, что недостаток кальция больше характерен для людей в пожилом возрасте, и это самая опасная ошибка. Дело в том, что с годами теряя кальций и не уделяя внимания его восполнению, в пожилом возрасте мы получаем лишь закономерный результат такой халатности, а именно — остеопороз.

Недостаток кальция может привести к судорогам и конвульсиям, трепетанию сердца и замедлению сердечного ритма.

Кальций помогает поддерживать кислотно-щелочной баланс в организме.

Одним из явных признаков дефицита кальция можно считать хрупкость костей и боли в них. Если вы упали и даже не особо ушиблись, но при этом сломали руку или ногу — это симптом.

У подростков и детей недостаток кальция проявляется в нервных привычках, таких как кусание ногтей, непрерывные движения руками и ногами, постоянные жевание, ковыряние в носу, верчение головой. Они не могут долго усидеть на одном месте. Часто у них наблюдается дрожание рук и пальцев. Люди, страдающие от недостатка кальция, раздражительны, подвержены эмоциональным вспышкам по малейшему поводу. Им свойственна плаксивость, жалость к себе. Они мгновенно настораживаются от малейшего шума.

Так что недостаток кальция в организме является главной причиной тех неблагоприятных изменений личности, которые вызываются ослаблением нервной силы.

Однако часто раздражительные, ворчливые, угрюмые люди могут достаточно быстро превратиться в доброжелательных, жизнерадостных, уверенных в себе людей в результате изменения образа жизни и следования естественным законам природы.

Вы можете существенно улучшить вашу жизнь, если научитесь правильно формировать свой рацион, ежедневно снабжать свой организм веществами, которые необходимы для его нормального функционирования.

Продукты, богатые кальцием

Чтобы помочь вам спланировать ежедневный рацион с учетом потребности организма в кальции, я перечислю продукты, богатые этим жизненно важным элементом.

В первую очередь это, конечно, молоко и кисломолочные продукты: кефир, творог, сметана, йогурты. Их нужно ежедневно употреблять при симптомах недостатка кальция, особенно детям, беременным женщинам, пожилым людям.

В рыбных продуктах также содержится много кальция (особенно в лососе и сардинах).

И, конечно, кальций содержится в растительных продуктах, особенно в салатных овощах (сельдерей, капуста, листовой салат) и зелени. Богаты им различные семена и орехи. Хороший источник кальция — яйца.

Поместите этот список продуктов, богатых кальцием, а также список продуктов, богатых витаминами

В-комплекса, на видном месте, чтобы на них можно было всегда ориентироваться при планировании вашего питания. Если ваш организм будет насыщен кальцием и витаминами группы В, то крепкие нервы вам гарантированы.

Однако если вы собираетесь восполнить недостаток кальция с помощью продуктов, нужно обязательно обратить внимания на некоторые факторы, которые мешают всасыванию данного микроэлемента.

В первую очередь это жир — чем выше жирность кальцийсодержащих продуктов, тем меньше в них кальция.

Также следует учитывать, что некоторые вещества способствуют очень быстрому выведению кальция из организма. Если вы любите газированные напитки, такие, например, как кока-кола, одних продуктов для восполнения недостатка кальция будет недостаточно. Дело в том, что данный напиток содержит вещества, выводящие кальций вместе с мочой.

Вы должны, конечно, следить за тем, чтобы организм не испытывал недостатка и в других элементах, влияющих на ваше здоровье. Чтобы иметь в здоровом теле здоровый дух, вам необходима хорошо сбалансированная диета из натуральных продуктов.

НАШ ЛЮБИМЫЙ ТОКСИН — ПОВАРЕННАЯ СОЛЬ

Одна из величайших ошибок в истории развития человечества — это привычка употреблять в пищу соль. Соль оказывает на человеческий организм губительное действие.

Химически соль состоит из атомов хлора и натрия. Натрий в воде превращается в едкую щелочь, а хлор — яд, способный убить все живое. К этому яду мы себя приучили, как к наркотику. Мы жить без него не можем.

Однако есть народы, которые вообще не употребляют соль. Если им предложить подсоленную пищу, реакция их организма будет как на настоящий сильный токсин: тошнота и отвращение. Американские индейцы до прихода европейцев ничего не знали о соли. Колумб и все великие исследователи Нового Света находили физическое состояние индейцев великолепным. Вырождение туземцев всегда начиналось после знакомства с солью, алкоголем и противоестественной пищей.

По мнению биохимика Бунге, в доисторические времена на Земле существовал должный баланс солей натрия и калия. Но продолжительные дожди за многие столетия вымыли из земной коры более растворимые соли натрия. В почвах и, соответственно, в растениях появился недостаток натрия и избыток калия. В результате у животных и у человека выработалось стремление ликвидировать дефицит натрия. Они нашли плохую, неэффективную и довольно опасную замену в виде неорганического хлорида натрия, или поваренную соль.

Поглощать эту соль для возмещения необходимого количества натрия все равно что для возмещения кальция потреблять неорганические соли кальция. Оба вещества плохо усваиваются клетками. Поскольку все неорганические вещества вредны для органов пищеварения, можно понять, почему после потребления соли появляется внезапная и аномальная жажда. Желудок реагирует на чужеродное вещество, предпринимая быструю попытку вымыть его с током воды через почки. Можно представить себе, какое действие оказывает соль на нежные фильтры почек. Из всех органов нашего тела почки более других страдают от соли.

Чтобы защитить ткани от этого яда, организм автоматически стремится растворить соль, накапливая воду в участках отложения солей. По мере того как ткани концентрируют воду, они начинают разбухать. Ступни и лодыжки болезненно раздуваются.

Не менее вредна соль и для сердца. В определенных условиях даже небольшое количество соли оказывается для него смертельным. Деятельность сердечной мышцы регулируется относительной концентрацией и соотношением естественных солей кальция и натрия в крови. Причем избыток натрия ведет к разбалансировке этой деятельности, увеличивая частоту сердцебиений и кровяное давление.

Одной из причин гипертонии является интоксикация организма поваренной солью.

В обычных условиях человеческому организму соль не нужна. Естественного натрия вполне достаточно в овощах, рыбе, мясе и других продуктах, даже если их не обрабатывают солью. Соли вполне достаточно в натуральной пище — свекле, сельдерее, моркови, картофеле, репе, морской капусте, кресс-салате и других натуральных продуктах, и не стоит ее вводить в свой рацион дополнительно. Передозировка соли — наихудшая из интоксикаций.

О ХЛЕБЕ НАСУЩНОМ

Хлеб называют насущным, то есть необходимым для существования человека. Но хлеб, который сегодня продают в магазинах, — это не настоящий хлеб. В нем намешано огромное количество вредных для нашего организма веществ и практически нет полезных элементов. Производители хлеба руководствуются вполне понятными соображениями: им нужно, чтобы хлеб как можно дольше не черствел, чтобы он имел привлекательный вид. Вот и добавляют они в тесто всевозможные «улучшители»...

Чтобы получить полноценный хлеб, богатый витаминами В-комплекса, витамином Е, кальцием и другими веществами, необходимыми для нормальной жизнедеятельности организма, лучше всего выпекать свой собственный хлеб.

Вот простой рецепт «живого», натурального хлеба.

2 чашки воды (дистиллированной, если из водопровода идет хлорированная вода), 1 ст. ложка меда, 1 ч. ложка сухих дрожжей, примерно 5 чашек свежей непросеянной пшеничной муки, 1 чашка свежей проросшей пшеницы.

Растворите мед в двух чашках воды, перемешайте до полного растворения. Распустите в медовой воде дрожжи. Затем всыпьте туда муку и проросшее зерно, хорошо перемешайте. Получившееся тесто месите в течение 1—3 минут. Сформируйте из теста одну большую или две маленькие буханки. Поместите буханки в духовку, оставив ее дверцу открытой и поддерживая температуру около 40 °С. Это можно сделать, регулируя подачу газа. Если духовка электрическая, установите термостат на 40 °С. Дайте тесту подняться до верхней границы противня. Затем тщательно прикройте дверцу духовки и увеличьте температуру в ней до 180—190 °С. Продолжайте выпечку в течение примерно 50 минут. Проследите, когда сформируется коричневая корочка и буханка слегка выйдет из противня. Это свидетельствует о готовности хлеба. Извлеките его из противня. Слегка смажьте подсолнечным или сливочным маслом, чтобы корочка не затвердела, и дайте хлебу остыть.

Добавленные в хлеб цельные зерна проросшей пшеницы богаты жизненно важными веществами. Можно также добавлять в тесто измельченные орехи, финики, смородину, инжир, чернослив и т. п.

Экспериментируйте с выпечкой хлеба. Это доставит вам удовольствие и принесет пользу. Выпеченный хлеб храните в холодильнике. Этот хлеб богат витаминами группы В, витамином Е. За все труды по выпечке такого хлеба, который с полным правом можно назвать хлебом насущным, вы будете вознаграждены укреплением ваших нервов.

Когда люди говорят, что они слишком заняты, чтобы испечь полезный для здоровья хлеб, приготовить полезные для здоровья блюда, они тем самым показывают, что слишком утомлены, слишком истощены, не в состоянии сделать усилие над собой. К сожалению, они останутся в таком же состоянии, пока не сделают этого усилия.

ФРУКТЫ —
САМАЯ ЗДОРОВАЯ ПИЩА

Они могут как составлять трапезу, так и быть дополнением в качестве десерта к другим продуктам. Яблоки, абрикосы, свежие или сухие, обработанные без помощи серы, голубика, вишни, клюква, мускатная дыня, фиги свежие и сухие, грейпфруты, виноград, медовая дыня, лимоны, манго, сладкие персики, папайя, апельсины, груши свежие и сухие, хурма, малина, слива, чернослив, клубника, арбуз, ананасы.

Овощи очищают и защищают организм

Из овощей полезнее всего брюссельская капуста, артишоки, спаржа, свекла, желтая восковая фасоль, капуста всех видов, морковь, сельдерей, лук, кукуруза, огурцы, зелень одуванчика, баклажаны, чеснок, зеленый горошек, салат-латук всех видов, зелень горчицы, пастернак, картофель, зеленый перец, редис, шпинат, стручковая фасоль, тыква разная, кабачки, помидоры, пророщенная пшеница, лук-порей.

Орехи и семечки заменят мясо

Они богаты белками, можете добавлять любые два вида из перечисленных. Если вы едите мясо, то не должны этого делать чаще трех раз в неделю, остальные дни недели замените мясо орехами и семечками.

Регулярно употребляйте в пищу миндаль, бразильские орехи, арахис, грецкие орехи и орехи пекан. Бобовые можете вводить в рацион несколько раз в неделю, так как они богаты растительными белками, особенно соевые.

Выбирайте правильные масла

Не берите масла, которые содержат химические примеси, вводимые для предотвращения прогорклости. Отдавайте предпочтение кукурузному, арахисовому, соевому, подсолнечному маслам, маслу грецкого ореха.

Не злоупотребляйте зерновыми

Зерновые могут употребляться не более трех раз в неделю, если ваша работа не связана с тяжелым физическим трудом на свежем воздухе. Самые полезные зерновые: ячмень, темный рис, гречиха, крупа крупного помола, просяная пшеница цельная, необработанная рожь, льняное семя, просо.

Рыба и морепродукты

И рыба, и морепродукты — прекрасная пища. Однако не стоит употреблять рыбу соленую (селедку) и сушеную.

Домашняя птица на вашем столе

Самой лучшей является цыпленок и индейка, так как в них содержится меньше всего жира.

Напитки

Пить нужно всегда между трапезами и не разбавлять поступающую в организм пищу водой. Рекомендуется пить фруктовые соки, дистиллированную воду и горячие отвары.

Советы по составлению меню

Для тех, кто привык есть 2 раза в день

Завтрак

Завтракать лучше не сразу после пробуждения, а ближе к полудню.

На завтрак хорошо есть любые свежие фрукты, печеные яблоки, отварные абрикосы и чернослив.

Обед

На обед полезно съедать салат из разных овощей, добавив в него вареную картошку и морковь, масло сырых орехов или миндальное, арахисовое масло.

Для тех, кто привык есть 3 раза в день

Вариант 1

Завтрак

Блюдо из свежих фруктов, хлебное изделие из муки цельного помола, подслащенное каким-либо медом или сиропом, заменитель кофе или травяной чай.

Ленч

Сырой овощной салат, блюдо из рыбы или мяса и птицы, печено-вареное, но не жареное, отварные овощи, фрукты, десерт — заменитель кофе или чай из травы.

Обед
Сырой овощной или фруктовый салат, любое блюдо из отварного мяса, рыбы или птицы, отварные овощи, фрукты, десерт.

Вариант 2

Завтрак
Свежие или отварные овощи, фрукты, яйцо, ни в коем случае не жареное, лучше сваренное вкрутую; 2 кусочка хлеба, травяной чай.

Ленч
Сырой овощной салат, печеный кусочек говядины, пюре из яблок, подслащенное медом, травяной чай.

Обед
Сырой овощной салат из помидоров, огурцов, салата, свеклы. Приправа — лимон, масло под майонезом, зеленый перец, фаршированный темным рисом, любой отварной овощ. Десерт — финики, заменитель кофе, травяной чай.

Вариант 3

Завтрак
Свежий или отварной фрукт, булочка из отрубей с медом, чай, заменитель кофе.

Ленч
Свежий овощной салат, кукуруза в початках, картофель печеный и печеное яблоко.

Обед
Сырые овощи и фрукты, фруктовый салат, любое блюдо из мяса, рыбы, птицы, запеченное или отварное, запеченные баклажаны, отварные помидоры. Десерт — фрукты, заменитель кофе, чай травяной.

КАК ЖИТЬ
НА НАТУРАЛЬНОЙ ДИЕТЕ

Нет ничего сложного в том, чтобы жить соглас-но законам природы и придерживаться натурального питания. При этом вы испытываете чувство свободы, достигаете здоровья и счастья.

Пусть ваша пища будет простой, чтобы исключить переедание. И помните, что натуральная диета должна быть без соли.

Потребуется некоторое время, чтобы приучить себя к переходу от ненатурального к натуральному питанию, но ваши усилия будут вознаграждены. 260 вкусовых рецепторов, находящихся у вас во рту, освободившись от притупляющего воздействия ненатуральной пищи и соли, станут более восприимчивы к вкусу натуральных продуктов. Ваши обученные вкусовые рецепторы помо-гут вам на пути, который ведет к здоровому естествен-ному питанию, созиданию мощной нервной силы.

Вы должны получать удовольствие, занимаясь при-готовлением блюд из чистых, здоровых натуральных продуктов и вкушая эти блюда. И вам следует быть уверенными в том, что вы сделали достаточно физиче-ских упражнений на свежем воздухе, чтобы заработать свою еду.

Хорошо пережевывайте пищу

Во рту пища должна быть не просто умягчена и из-мельчена, чтобы ее легче было проглотить. Она должна быть тщательно пережевана до мельчайших частиц и хорошо перемешана со слюной. Только когда пища пережевана до мельчайших частиц, пищеварительные соки воздействуют на нее наиболее эффективно.

Каждый кусок должен пережевываться до тех пор, пока ощущается какой-либо вкус пищи либо пока глотание не произойдет целиком и полностью само-произвольно.

Тщательно пережевывая пищу, вы извлекаете из нее и усваиваете больше питательных веществ, важных для организма витаминов и минеральных веществ. Жуя пищу до потери ее вкуса, вы острее ощущаете утонченные вкусовые свойства пищи, которые вложила в нее природа. Чем больше вы жуете, тем более естественный вкус развивается у вас. Ваши вкусовые рецепторы становятся более чувствительными, что позволяет по-новому ощущать вкус пищи. Каждый глоток становится для вас высшим удовольствием. Вы получаете возможность нормализовать свой вес. Вы не сможете переесть или перепить, когда следуете указанному правилу. Жуйте и наслаждайтесь вкусом, глотание произойдет само собой. Вы будете жить, процветать и долго сохраните молодость, употребляя наполовину меньше пищи, чем обычный человек. Вы будете получать реальную пользу от каждого кусочка пищи, которую вы съедите.

Урок пятый

ЧУДЕСНОЕ ГОЛОДАНИЕ

ГОЛОДАНИЕ — КЛЮЧ К ЗДОРОВЬЮ

Голодание — ключ, которым отпирается природный склад энергии.

Голодание влияет на каждую клетку, каждый внутренний орган, на всю жизненную силу.

Люди порицают все на земле, кроме пищи, в то время как именно она является причиной всех их страданий и преждевременной старости. Человек среднего уровня развития не представляет, как ужасно загрязнен его организм в результате многолетнего переедания!

Непрерывно накапливающийся гнилостный яд в организме непременно однажды проявляется болезнями. Болезнь — это сигнал вашего организма, которым он предупреждает вас: я изнемогаю от токсических веществ! Голодание — единственное лекарство, которое поможет вашему организму преодолеть страдания.

Когда мы чувствуем себя плохо физически, нам не хочется есть. Пища даже отталкивает вас, но «заботливые» родственники и друзья заставляют вас есть, чтобы сохранять силы для борьбы с болезнью. Природа хочет заставить вас голодать — только так она сможет очистить ваше тело, исцелить болезнь, но вы не слушаете ее голоса.

С чего начать?

Сначала возьмите себе в привычку проводить полное водное голодание от 24 до 36 часов еженедельно, а в те дни, когда вы едите, ешьте только натуральную пищу. Вы часто перегружаете желудок, давая ему новую работу, когда он еще не справился с предыдущей. Нет таких вещей, как старческие болезни. Если вы правильно питаетесь с детства, голодаете один день в неделю, периодически отказываетесь от пищи хотя бы несколько раз в году, вам не страшны никакие болезни! Человек может жить не 70, а 120 лет, если он живет разумно. Каждый из нас может даже в весьма преклонном возрасте омолодить себя физически, умственно и духовно рациональным голодом.

Используя научное голодание, можно забыть о своем возрасте.

Голодание сохранит ваши внутренние силы

Пища, которую мы едим, должна быть переварена и усвоена нашим организмом. Затем лишнее, ненужное выводится наружу.

Мы знаем четыре основных органа выделения: кишки, почки, легкие и кожа. Чтобы все органы выделения работали правильно, организм должен обладать высокой жизненной силой и энергией.

У человека забирает много сил и усваивание жидкости, которая проходит через 2 миллиона фильтров в человеческих почках.

Много жизненной энергии забирает и печень, и желчный пузырь, работа которых заключается в переработке поступающей в них пищи до состояния, пригодного к питанию миллиона клеток тела.

Огромное количество жизненной силы отбирают легкие, поставляющие кислород, очищающие 5—8 литров крови в организме и выделяющие из него CO_2.

Не меньше энергии отнимает функция кожи, которая через 96 000 000 пор выводит из организма яды в виде пота.

Голодание — прекрасное лечение от всех болезней еще и потому, что оно не имеет побочных воздействий, которое имеют все лекарства.

Есть люди, которые отвергают голодание, считая его ненужным, даже вредным. Однако спросите их: а сами они пробовали голодать? Нет. Как может человек рассуждать о том, чего он ни разу не испробовал на себе?

Великий философ Пифагор требовал от своих учеников голодать 40 дней, прежде чем они будут посвящены в тайны его философских учений. Библейские патриархи часто голодали. Моисей, Давид и многие другие голодали по 40 дней.

К какому же выводу можно прийти, зная все эти факты? А вывод очень прост: мы должны меньше есть! Мы должны регулярно голодать, давая отдых всем нашим органам. И тогда они будут служить нам верой и правдой гораздо дольше. Голодание даст нам внутренние силы прожить гораздо дольше, чем живут те, кто постоянно перегружает свой организм едой.

Сколько времени нужно голодать?

Однозначного ответа на этот вопрос нет. В Англии считают, что лучше голодать 30 дней. Голодание большую часть проходит в постели, разрешается вставать время от времени на несколько минут. В Германии лучший срок — 21 день, во Франции не более 14, в Америке — 30 дней.

Режим голоданий каждый человек должен подбирать себе сам. Важно понять: приступать к голоданиям нужно постепенно. Не стоит переходить к длительным голоданиям до тех пор, пока вы не проведете как минимум шесть 10-дневных голоданий с четырехмесячным перерывом. Имея такой опыт за плечами, вы можете проголодать и 15 дней. Это принесет огромную пользу вашему организму, очистив его от шлаков.

Если вы не голодали, то начинайте с одного дня в неделю по 24—36 часов. Потом вы можете перейти к 3—4-дневному, а потом — к 7—10-дневному голоданию.

Вы можете достичь больших успехов коротким голоданием, но только при постоянном их проведении и здоровом образе жизни между голоданиями.

Когда лучше голодать?

Зимой очень хорошо проходят 7-дневные голодания. Особенно благоприятна для этого первая половина января.

Весной голодайте по 10 дней.

Летом — по 7 дней (лучше во второй половине июля или августа).

Осеннее голодание — в последней четверти октября или ноября — 7—10 дней.

В среднем нужно голодать 75 дней в году.

24-ЧАСОВОЕ ГОЛОДАНИЕ

Как проводить голодание

Во время полного голодания вы, если хотите, можете добавить в дистиллированную воду 1/3 чайной ложки неочищенного меда и 1 чайную ложку лимонного сока,

это делает воду приятной и растворяет слизь и токсины. Растворенные токсичные вещества и слизь легче
пройдут через главный фильтр нашего тела — почки.

На первом этапе голодания вы можете ощущать
дискомфорт. Но чем больше вы пьете, тем больше вы-
водите ядов из своего тела.

Самое главное — нельзя унывать. Чтобы не упасть
духом, повторяйте на протяжении этих суток такие
слова.

- Сегодня я вручил мое тело в руки природы. Я обра-
  тился к высшим силам для внутреннего очищения
  и обновления.

- Каждую минуту голодания я изгоняю опасные яды
  из моего организма. Каждый час, когда я голодаю,
  я становлюсь все счастливее и счастливее.

- Час за часом мой организм очищает себя.

- При голодании я применяю тот же метод физического, духовного и умственного очищения, которым пользовались на протяжении веков великие
  учителя человечества.

- Во время голодания я полностью контролирую свое
  состояние. Никакое ложное ощущение голода не
  заставит меня прекратить голодание. Я успешно
  завершу свое голодание, ибо верю в силы природы.

Это — внутренняя установка, которую вы даете своему телу. Если внутренняя установка будет работать, то
и само голодание пройдет легче и незаметнее.

Как прекратить 24-часовое голодание

В конце этого голодания первой пищей должен
быть салат из свежих овощей — в основном из тертой
моркови и тертой капусты. Как приправу можете использовать сок лимона или апельсина. Такое блюдо
действует на кишечник, как метла.

После этого можете есть вареные овощи, например тушеные помидоры. Они не образуют кислот, если вы не добавите к этому сахар и белый хлеб. Можете есть различную зелень: шпинат, тыкву, листовую капусту, приготовленный сельдерей или волокнистую фасоль.

Никогда нельзя прерывать голодание продуктами животного происхождения: мясо, сыр, рыба, а также орехами или семечками. В течение двух дней после голодания не употребляйте никакой кислотной пищи.

3-, 7-, 10-ДНЕВНОЕ ГОЛОДАНИЕ

Как проводить голодание

Голодание — процесс интимный, поэтому лучше проводить его в условиях, где вас никто не будет беспокоить. Постарайтесь никому не рассказывать о том, что вы собираетесь голодать. Голодающий часто бывает энергетически беззащитным, и отрицательные эмоции окружающих могут серьезно навредить ему. Любое неосторожное или необдуманное слово может разрушить уверенность в своих силах и подорвать оптимистический настрой, с которым и нужно проходить длительное голодание.

Вы не должны читать, смотреть телевизор, слушать радио, проводить время в компании. Оставайтесь в полном уединении.

В это время вы можете почувствовать себя неважно, должны лечь и расслабиться в полном покое до тех пор, пока организм не очистится от ядов. Этот период нездоровья пройдет, как только яды будут выведены через ваши почки.

Во время голодания не стоит делать что-либо через силу. Гулять на свежем воздухе, принимать солнечные ванны можно только в том случае, если у вас достаточно сил. К тому же солнечные ванны утомляют нервную систему, так что загорать длительно нельзя. Не стоит заниматься активными физическими упражнениями. Вообще не нужно ничего делать такого, что отнимает много сил.

Если вы чувствуете себя не слишком хорошо, соблюдайте постельный режим, потому что все силы организма во время голодания направлены на очищение. Наилучшие результаты при 3—7-дневном голодании достигаются при соблюдении постельного режима. Чем больше голодающий спит, тем лучше. Если не можете спать, то просто расслабляйтесь.

Отсутствие кишечной деятельности во время 3—10-дневного голодания не должно вас беспокоить. Функция кишечника восстановится после того, как вы прекратите голодать.

Очень часто врачи рекомендуют делать во время голодания ежедневные клизмы. Не надо!

Остатки еды в кишечнике на момент начала голодания будут нейтрализованы вовремя самим организмом.

Клизмы действуют раздражающе и вымывают важные продукты внутренней секреции и бактерии, необходимые для нормальной работы кишечника. Во время голода вы даете отдых всему организму, перистальтика тоже отдыхает.

Язык во время голодания будет обложен толстым слоем токсического налета, издающего жуткий запах. Это яркий показатель количества ядов и других веществ, скопившихся в клетках организма, которые выделяются из внутренней поверхности желудка, кишечника и всех частей и органов тела.

Язык отражает состояние вашего здоровья. С каждым последующим голоданием язык будет становиться все чище.

Как правильно выходить
из 3-, 7-, 10-дневных голоданий

Выход из голодания продолжается столько же дней, сколько длилось само голодание. Желательно, чтобы первые дни выхода из голодания приходились на субботу и воскресенье. В это время из питания исключаются соль, мясо, рыба, яйца, грибы. Очень важно есть не торопясь, тщательно пережевывая пищу.

Когда вы проводите 7-дневное голодание, ваш желудок и кишечник сильно сокращаются.

Около пяти часов пополудни на 7-й день очистите 4—5 томатов среднего размера, разрежьте их и положите в кипяток. Когда они достаточно остынут для того, чтобы есть, ешьте, сколько хотите.

Утром 8-го дня приготовьте салат из тертой моркови и тертой капусты, приправленных соком апельсина. После такого салата вы можете съесть чашку тушеной зелени и очищенных томатов (шпинат, артишоки, зелень, горчицу). Доведите зелень до кипения и снимайте с огня. Можно съесть и пару кусочков хлеба, предварительно подсушенных так, чтобы они превращались в руках в пудру. Можете пить сколько угодно дистиллированной воды.

На обед — тертая морковь, рубленый сельдерей, капуста, приправленная соком апельсина. Может быть добавлено два вида каких-либо приготовленных овощей: шпинат, артишоки, зелень горчицы, морковь, капуста, отваренный сельдерей, тыква с двумя кусочками хлеба, но все это должно быть без масла.

На 9-й день можете завтракать любым видом свежих фруктов и овощей с добавлением свежепророщенных зерен, блюдо можно подсластить медом (не более одной столовой ложки). Днем ешьте салат из тертой моркови, капусты, сельдерей с одним отварным овощем плюс кусочек сухого хлеба. В обед можно съесть смешанные листья салата, лопуха, петрушки, томатов и каких-нибудь двух отварных овощей.

Существует небольшая разница между 7- и 10-дневным голоданием.

На 10-й день голодания, около пяти часов пополудни, можете съесть тушеные томаты, а затем следуйте той же схеме, которая дана для голодания 7-дневного.

ГОЛОДАНИЕ НОРМАЛИЗУЕТ ВЕС

Во время 7—10-дневного голодания человек может потерять 7—12 фунтов веса. В результате такого похудения у него улучшится самочувствие, повысится бодрость.

Конечно, так бывает не всегда. Мы все разные, некоторые теряют за день от 1 до 2 фунтов веса, некоторые даже 3. Результат зависит от того, где этот жир «заложен». Если он сконцентрирован на животе и на бедрах, то сгоняется быстро. Если жир отложился в других местах, убывать он будет медленнее. Но, так или иначе, людям с избыточным весом прекрасно помогает обрести форму и 24-часовое голодание (раз в неделю), и голодание 3 раза в неделю (1 день едим, другой голодаем).

Принято считать, что излишний вес появляется у человека в основном из-за переедания. Однако это не совсем так. Вес зависит не от количества съедаемой пищи, а от того, как она усваивается и выводится организмом.

Если у вас плохо работают органы выделения, вы можете съесть как угодно много и не прибавите ни грамма. У вас даже может начать падать вес при прекрасном аппетите. Падение веса — это сигнал ослабления всего организма, здоровья человека. В таких случаях бесполезно пытаться за счет еды набрать вес. Необходимо сделать детоксическую систему более работоспособной при помощи голодания.

Так что голодание помогает не только похудеть тем, кто страдает избыточным весом, но и набрать вес тем, чей организм истощен.

ГОЛОДАНИЕ ПРОТИВ АТЕРОСКЛЕРОЗА

Начните с 24-часового голодания сегодня же, не откладывая это на завтра! Начните, и вас больше не будут огорчать мысли о старости. Вы станете жить, не задумываясь о годах.

Голодание сохраняет наши артерии. Заболевание сердца развивается очень медленно, требуется долгое время, чтобы привести артерии в опасное для жизни состояние. Чтобы спровоцировать заболевания сердца и артерий, мы должны регулярно на протяжении ряда лет употреблять табак и алкоголь, есть жирную пищу, совершенно не нагружать себя физически.

Но часто бывает, что человек, имеющий уже наполовину пораженные артерии, совершенно не ощущает своей болезни. И даже доктора считают его здоровым. Но закупорка уже началась, постепенно артерии становятся все уже, кровь не проходит через них в таком количестве, чтобы нормально питать сердце.

А затем у здорового вроде бы человека случается тяжелый сердечный приступ.

Мы должны быть бдительны, чтобы сохранить свои артерии чистыми от веществ, которые впоследствии могут привести к инфаркту или инсульту.

Голод — это не лекарство от серьезных сердечных заболеваний. Голод — предупредительная мера, внутренний очиститель. Он помогает нашим сосудам сохраняться чистыми, помогает крови свободно снабжать сердце и другие органы всеми необходимыми веществами.

Сегодня можно найти мужчин и женщин, которые в свои 70—80 (и даже 90!) лет обладают совершенно чистыми, эластичными, подвижными артериями. Несмотря на свой возраст, они молоды, и почему же им не жить еще много лет?

В Библии сказано, что до Великого потопа возраст людей достигал 900 лет. Мы смеемся над этим утверждением, полагая, будто те люди считали свои годы как-то иначе... Но как мы можем знать это? На чем основаны наши предположения? Просто на неверии в то, что жить можно долго, очень долго.

А ведь все очень просто: «допотопные» люди знали, как нужно питаться, жить, чтобы сохранить свои сосуды здоровыми. Здоровье — это правильное и гармоничное функционирование, и эта гармония сохраняется до тех пор, пока сосуды правильно и эффективно выполняют свою работу.

Когда мы говорим, что человек стареет, это означает только одно — он не знает, как питаться и жить, чтобы сохранить артерии молодыми и эластичными.

Если мы регулярно голодаем 24 или 36 часов и от 3 до 10дней, вся жизненная сила нашего организма используется для внутреннего очищения, а значит, и для очищения сосудов. Вот почему после любого голодания появляется чувство легкости во всем теле, ум становится острее и восприимчивее, память улучшается, мы испытываем прилив физических сил.

Таких результатов может достичь каждый человек, любой из нас. Надо только решиться.

ОСТРЫЙ ИСЦЕЛЯЮЩИЙ КРИЗИС

Представьте: вы встали с утра и почувствовали себя очень плохо. У вас насморк, разламывается голова, ломота во всем теле... Что с вами? Думаете, вы простудились?

Ничего подобного. Точное название всех явлений — «острый исцеляющий кризис».

Причина его в том, что, живя в век цивилизации, мы потеряли слишком много естественных инстинктов, чтобы сохранить внутреннюю чистоту. И жизненная сила внутри организма выбрасывает отходы и токсические материалы, освобождает себя от них при помощи «острого исцеляющего кризиса».

Вы должны помочь своему организму, немедленно начав голодать. Оставьте все и ложитесь в теплую постель. Не ешьте ничего, даже фрукты. Не употребляйте соки. Через определенные интервалы пейте большое количество горячей дистиллированной воды с небольшим добавлением меда и лимонного сока, и больше — ничего!

Не читайте, не включайте телевизор и не расходуйте свою энергию на разговоры с родственниками и друзьями. Изолируйте себя полностью.

В большинстве случаев 3 дней голодания вполне достаточно для выздоровления, но иногда приходится поголодать 7, а то и 10 дней. За этот срок вы поправитесь. Более того, ваше здоровье станет намного лучше, чем до кризиса.

Большинству людей метод кажется слишком простым. Они уверены, что для поправления здоровья они должны срочно начать что-то делать, предпринимать какие-то решительные, активные действия. И в то же время они полны страхов. Их страшит ухудшение здоровья, некоторые даже впадают в панику.

Будьте спокойны. Природа-мать лучше знает, что вам необходимо в данный момент. И если вы будете прислушиваться к ее голосу, если научитесь ей помогать, она проведет вас через любой кризис. И выведет к победе, потому что она — божественный врач.

ОСНОВНЫЕ ЗАКОНЫ ГОЛОДАНИЯ

- Необходим индивидуальный подход к голоданию. Перед длительным голоданием обязательны консультации врача и предварительное обследование.
- Длительное голодание проводится только стационарно.
- Во избежание интоксикации организма во время голодания предварительно проводится очищение кишечника.
- Необходимо сохранять положительную настроенность во время голодания, веру в успех и эффективность этого метода.
- Во время голодания надо по возможности больше двигаться и находиться на свежем воздухе.
- Выход из голодания должен быть постепенным, нельзя в первый день употреблять белковую пищу.
- Во время голодания можно только пить воду. От любой пищи нужно воздерживаться.

Урок шестой

ПОЗВОНОЧНИК — КЛЮЧ К ЗДОРОВЬЮ

ПОЧЕМУ БОЛИТ СПИНА

Опять спина болит? А почему? Причин много. Болезни позвоночника возникают из-за сидячего образа жизни, неправильного питания. К тому же мы не умеем правильно ходить, стоять, сидеть, вот и страдает позвоночник. Причем страдает он не только у взрослых людей, но и у детей: примерно четверть школьников страдают от сколиоза, который в дальнейшем, развиваясь, принесет подрастающему поколению массу проблем со здоровьем.

Заболевания позвоночника считаются одними из самых распространенных, независимо от возраста: 15 % всех людей страдают хроническими болями в спине, а хотя бы один раз испытывали подобные трудности 80 % населения нашей планеты. В 45—50 лет такие боли становятся одной из самых частых причин временной потери трудоспособности.

Позвоночник и скелетная система человека

Скелет — это совокупность костей, пассивная часть опорно-двигательного аппарата. Служит опорой мягким тканям, точкой приложения мышц и вместилищем и защитой внутренних органов.

Позвоночник и другие кости человеческого скелета поддерживают более мягкие части тела и придают телу необходимую форму.

Роль главной опоры тела выполняет позвоночник. Если позвоночник убрать, то тело упадет на землю бесформенной массой.

При рождении ребенок имеет 350 костей, которые растут по мере его развития. Скелет нормального взрослого состоит из 260 костей.

Мужской и женский скелет в целом построены по одному типу, и кардинальных различий между ними нет. Они заключаются лишь в немного измененной форме или размерах отдельных костей и, соответственно, включающих их структур.

Вот некоторые из наиболее явных различий. Кости конечностей и пальцев у мужчин в среднем длиннее и толще. У женщин более широкий таз и более узкая грудная клетка.

Скелет человека устроен по общему для всех позвоночных животных принципу. Кости скелета подразделяются на две группы: *осевой скелет* и *добавочный скелет*.

К осевому скелету относятся кости, лежащие посередине и образующие остов тела; это все кости головы и шеи, позвоночник, ребра и грудина. Добавочный скелет составляют ключицы, лопатки, кости таза, верхних и нижних конечностей.

Как устроен позвоночник

Позвоночник — главная опора тела, благодаря которой человек может не только стоять, но и передвигаться.

Строение его напоминает колонну, которая состоит из налагающихся друг на друга 33—34 позвонков. Позвонки имеют волнообразное строение.

В шейном и поясничном отделах наблюдается лордоз (изгиб, направленный выпуклостью вперед), а в грудном и крестцовом отделах — кифоз (выпуклость направлена назад). Такие изгибы выполняют роль амортизатора.

Наименьшая нагрузка на позвоночник бывает, когда человек лежит.

Каждый позвонок состоит из двух частей — тела и дуги. Верх и низ позвонка покрыты хрящом. Между телами двух позвонков находится эластичный межпозвонковый диск, состоящий из полужидкого центра, заключенного в ткани хряща. Эти диски дают возможность позвоночнику двигаться в различных направлениях и демпфировать удары. Если бы не было этих дисков, вы бы чувствовали удары в основание черепа при каждом шаге.

Дуги позвонков формируют канал, в котором расположен спинной мозг. На каждой дуге расположены по пять выступов, похожих на пальцы, к которым прикреплена сложная система спинных связок и мускулов.

Центральные выступы образуют то, что мы называем «позвоночником». Соседние позвонки соединяются суставами, выступающими вверх и вниз от каждой дуги и защищенными оболочкой, наполненной синовиальной жидкостью. Между двумя смежными позвонками проходят корешки спинномозговых нервов. В поясничном отделе они занимают мышцы на обеих сторонах позвоночника и, переплетаясь между собой, образуют пояснично-крестцовое нервное сплетение, из которого развивается седалищный нерв, формирующий нервные окончания.

Связки и хрящи

Узел, в котором соединяются две кости, называется **суставом**. Суставы черепа, в котором находится мозг, неподвижны. Соединения ребер и позвоночника частично подвижны. Также ограничено движение в крестцово-подвздошных суставах, связывающих основание позвоночника с костями бедра, на которые распределяется вес верхней части туловища. В данной области могут появиться резкие боли, если связки, соединяющие эти суставы, подвергаются непривычным для них напряжениям, таким, например, как поднятие тяжелых предметов.

Программа по оздоровлению позвоночника поможет усилить эти важные связки.

Существуют четыре основных типа движения суставов в теле.

Самый широкий диапазон движений обеспечивают суставы, соединяющие плечевые кости с верхними костями рук, и соединения бедренных костей.

Шарнирные суставы в коленях и пальцах позволяют совершать движения только вперед и назад.

Стержневой сустав дает возможность кости поворачиваться на нем подобно ключу в замке. Примером могут служить запястье и лодыжка.

Локоть — это комбинация шарнирного и стержневого суставов, которая позволяет совершать ему широкий диапазон движений.

Суставы позвоночного столба называются седловидными и позволяют совершать наклоны в любую сторону. Позвонки двигаются относительно друг друга довольно ограниченно, однако весь позвоночник, состоящий из 26 костей, оказывается очень гибким.

Природной смазкой для всех движущихся суставов является вещество, называемое синовиальной жидкостью, которая находится в специальной оболочке. Этой смазки хватает на всю жизнь, однако для сохранения ее консистенции надо правильно питаться, избегая потребления жесткой воды и других продуктов, содержащих неорганические минеральные вещества.

Наружная поверхность суставов покрыта плотной эластичной тканью, которая называется хрящом. Она не только предохраняет поверхность костей от истирания, но и служит амортизатором. Это особенно важно в позвоночнике, где хрящевые пластинки и межпозвонковые диски поглощают нагрузки при беге и ходьбе.

Хрящи — это предшественники костей в формировании скелета в эмбрионе, некоторые из них остаются как часть скелетной системы. У новорожденного некоторые кости черепа — хрящевые, что позволяет мозгу расти. Они становятся твердыми после того, как мозг достигает нормальных размеров. Поскольку хрящ более эластичен по сравнению с твердой костью, то, оставаясь, например, в местах соединения ребер с грудиной, он дает полную свободу легким. Хрящ также остается частью скелета у взрослого человека в полутвердых трубах, таких как гортань, трахея, бронхи, нос и уши.

Хрящи часто путают со связками и сухожилиями, так как и хрящи, и связки, сухожилия представляют собой плотную белую ткань. Степень же эластичности ткани каждого вида различна, как различны структура и выполняемые функции.

Сухожилие — это белые, блестящие, волокнистые, не эластичные, но с большим пределом прочности нити, которые крепят мускулы к костям. Они содержат мало кровеносных сосудов и чувствительных нервов. Связки имеют такую же структуру, но содержат эластичные волокна, связывающие кости или хрящи и поддерживающие некоторые органы, мускулы и фасции (волокнистые нити, окутывающие внутренние ткани).

Сухожилия и связки являются частью мускульной системы, в то время как хрящи составляют лишь часть скелетной системы.

Состав костей

Длинные кости рук и ног обычно имеют длинную цилиндрическую часть, которая называется телом. На концах кость утолщается и формирует сустав. Все кости, в том числе и плоские, состоят из пористой ткани. Эта пористая ткань покрыта твердым материалом, состоящим из кальция и фосфора, которые придают костям нужную форму и обеспечивают их прочность. Кости и зубы содержат 90 % кальция, имеющегося в организме человека.

Мягкая внутренняя часть кости называется костным мозгом. Это вещество имеет желтый цвет, который ему придают жирные клетки; оно служит хранилищем для жира, который может быть превращен в энергию, когда тело будет нуждаться в этом. В костном мозге плоских костей (таких как череп), в длинных костях ближе к концам, а также в позвоночнике находятся участки красноватой ткани. Эти жизненные центры вырабатывают красные кровяные тельца, которые разносят кислород по всему телу. Белые кровяные тельца, сражающиеся с инфекцией, также вырабатываются в костном мозгу.

Для того чтобы кости и хрящи были здоровыми, необходимо ежедневно обеспечивать их пищей, содержащей органический кальций, фосфор, магний, марганец.

Кости — защита внутренних органов

Кости выполняют также функцию защиты жизненно важных органов.

Череп формирует мощную коробку для сохранения серого вещества мозга. Две костные впадины в передней части черепа защищают глаза.

Позвоночник образует трубу, в которой находится нежный спинной мозг.

Ребра формируют жесткий и в то же время эластичный каркас, который защищает сердце и легкие. Если бы у человека не было ребер, то даже небольшие столкновения могли бы смять легкие и повредить сердце. Нижняя часть грудной клетки также защищает почки и верхнюю часть пищеварительной системы.

Кости таза, вместе с позвоночником (крестец, копчик) и бедренными костями, обеспечивают защиту мочеполовой системы.

Позвоночник и мускулы

От черепа до крестца выступы позвоночных дуг оплетаются мощными эластичными связками, которые соединяют вместе все позвонки и межпозвонковые диски.

Через крестцово-подвздошную область проходит другая система чрезвычайно сильных связок, соединяющих суставы между бедром и основанием позвоночника и на которые ложится основной вес человеческого тела.

К позвоночнику с помощью сухожилий прикрепляется сложная система мускулов, управляющих его движением. Без мускулов вся скелетная система была бы просто грудой неподвижных костей.

Слои мощных мускулов спины и живота управляют основными движениями тела. Движения головы и шеи обеспечиваются мышцами, прикрепленными к шейным позвонкам.

Мускулы плеч и верхней части рук крепятся к шейным, грудным и верхним поясничным позвонкам, а мускулы бедра — к крестцу и копчику.

Мускулы, управляющие нашим дыхательным аппаратом, прикреплены к позвоночнику, диафрагма — к поясничным позвонкам, реберные мышцы — к грудным и шейным позвонкам.

Мускулы таза, удерживающие все внутренности, крепятся к нижней части позвоночника.

С возрастом позвоночник укорачивается

Мускулы становятся дряблыми из-за отсутствия упражнений, а ткани истощаются из-за неправильного питания. От неправильного образа жизни позвоночник становится жестким и деформируется. Хрящи и диски между позвонками разрушаются из-за отсутствия физических упражнений и плохой циркуляции крови в соседних тканях. Позвоночный столб как бы усыхает. Многие люди в 60—70 лет становятся на 3—5 дюймов ниже, а некоторые к старости сгибаются.

Однако позвоночник укорачивается и ненормально изгибается не от возраста. Неправильное питание и недостаток физической активности приводят к тому, что даже дети ходят сутулясь, едва волоча ноги.

Каждый человек, который хочет прожить долгую, плодотворную жизнь, должен хорошо понимать: состояние позвоночника очень сильно влияет на здоровье, энергию, на всю жизнедеятельность человеческого организма. Мы должны постоянно, ежедневно делать все возможное, чтобы обеспечить хорошую циркуляцию крови в нем и в окружающих его мускулах и связках.

Мы должны научиться употреблять только натуральную, здоровую пищу, которая содержит важнейшие минеральные вещества и витамины, так необходимые для создания сильных и здоровых костей и хрящей. Это очень важно.

МОЛОДОЙ ПОЗВОНОЧНИК МОЖЕТ БЫТЬ В ЛЮБОМ ВОЗРАСТЕ

У вас может быть молодой позвоночник в любом возрасте!

Бернар Макфаден, отец физической культуры, часто говорил, что каждый человек настолько молод, насколько молод его позвоночник. «Каждый мужчина и женщина могут сбросить 30 лет, усиливая и растягивая позвоночник», — считал он.

Это совершенно верно! Вы можете предотвратить процесс, называемый старением, выполняя упражнения для позвоночника и рационально питаясь.

Большинство людей обычно чувствуют себя лучше всего утром, и это результат не только освежающего сна, но и того, что позвоночник удлиняется при продолжительном отдыхе.

Часто говорят, что по утрам человек становится «выше». Сравнительными измерениями это легко подтвердить. Однако в течение дня позвоночник опять оседает. Это будет продолжаться до тех пор, пока вы не усилите позвоночный столб и поддерживающие его связки и мускулы систематическими упражнениями и правильным питанием, занимаясь по методике, приведенной в этой книге.

У большинства людей, не тренирующих свой позвоночник, хрящевые межпозвонковые диски сплющиваются. При постоянном трении между позвонками хрящи могут стать тонкими, что является причиной мучительных болей. Диски подвергаются и дегенеративным изменениям, таким как обызвествление, в результате которого позвоночник теряет свои амортизационные свойства. Позвонки не только трутся друг о друга, но также сталкиваются и защемляют нервы, отходящие от спинного мозга через позвоночные отверстия.

К счастью, хрящи быстро реагируют на их стимуляцию упражнениями для позвоночника, которые разработаны для растяжения позвоночного столба. Под влиянием этих упражнений открываются естественные промежутки между позвонками и хрящи сразу же начинают свой рост.

Так можно вырастить мощные хрящи и создать молодой позвоночник независимо от того, сколько лет прожили вы на этом свете.

Смещение позвонковых дисков

Мы с вами уже знаем, что основными амортизаторами позвоночного столба, придающими ему гибкость и упругость, являются межпозвонковые диски. Эти маленькие прокладки между позвонками состоят из желатинозного ядра со студенистым содержимым, которое заключено в оболочку, названную фиброзным кольцом. Межпозвонковый диск сверху и снизу защищен от контакта с костью хрящевыми пластинами.

При сгибании позвоночника в ту же сторону сжимаются и диски, выдавливая ядро в противоположном направлении. В сильном, здоровом позвоночнике диск выполняет роль полноценного амортизатора. Однако если диск расслаблен или если позвоночник подвержен перенапряжениям и резким ударам, ядро может выйти через внешнюю оболочку в позвоночный канал. Так образуется грыжа межпозвонкового диска. Смещенный диск может оказывать сильное давление на спинной мозг. Кроме того, лишенные упругой опоры, позвонки трутся друг о друга и могут защемить нерв, выходящий из спинного мозга. Когда происходит подобное, человек испытывает мучительные боли в спине.

Исключить возникновение грыжи межпозвонкового диска можно удлинением и растяжением позвоночника с помощью корректирующих упражнений и правильного питания.

Позвоночник и нервная система

Благодаря нашим нервным окончаниям мы получаем удовольствие и чувствуем боль. И только прямой, сильный, гибкий и растянутый позвоночник позволяет каждому нерву функционировать правильно.

Позвоночник, который «осел», или укоротился, имеет меньшие расстояния между позвонками. А это значит, что позвонки сдавливают нервы, выходящие через отверстия позвонковых дуг.

Когда сдавливаются нервные волокна в верхней части шеи или у основания головы, человек может испытывать сильнейшие головные боли. Сдавливание нервных волокон дюймом ниже приводит к расстройствам зрения. В грудной области давление на нервы, идущие к желудку и другим органам пищеварения, вызывает расстройство этих органов. Воздействие на нервные волокна, расположенные чуть ниже, может поразить кишки или почки.

«Оседание» позвоночника, связанное со смещением позвонков, — процесс длительный и зачастую начинается еще в подростковом возрасте. Медленное разрушение хряща и ослабление мускулов и связок может идти незаметно в течение долгого времени и благодаря изумительной природной способности человеческого организма компенсировать и восстанавливать силу позвоночника, несмотря на наше варварское с ним обращение.

Оцените состояние своего позвоночника

Чтобы определить свою осанку, встаньте в купальнике или вообще без одежды перед большим зеркалом и критически осмотрите себя со всех сторон, используя для этого дополнительное ручное зеркало.

* Вытягиваете ли вы голову вперед?
* Сутулитесь ли вы?
* Не выше ли одно плечо другого?
* Опущены ли ваши плечи?
* Не короче ли одно из бедер?
* Большой ли у вас живот?
* Не искривлен ли позвоночник?

Проанализируйте все дефекты своей осанки. Запишите все это в карточку и поставьте число. Затем, выполняя программу по оздоровлению позвоночника, еженедельно осматривайте фигуру и определяйте, какие положительные сдвиги в ней произошли, насколько приблизились вы к совершенной осанке.

Если вы будете добросовестно следовать инструкциям, данным в этой книге, то и результаты у вас будут отличными. Вы будете вполне удовлетворены и своим здоровьем, и внешним видом.

Основа здорового позвоночника — правильная осанка

Прежде чем перейти к упражнениям для позвоночника, давайте поговорим об осанке. Это постоянное упражнение — правильная осанка. Привычка к ней формируется в раннем детстве и должна сохраниться на всю жизнь.

Нормальная осанка человека определяется воображаемой вертикальной линией, на которой расположен центр тяжести человеческого тела и которая проходит через центральную нервную вершину черепа и пересекает линии, соединяющие уши и суставы плеч, бедер, коленей и лодыжек.

Подбородок должен находиться под прямым углом к остальному телу, плечи — прямые, грудная клетка в меру поднята вверх, живот подтянут, но не втянут глубоко внутрь.

В этом положении спина сохраняет свои естественные мягкие изгибы и все тело поддерживается суставами бедер и ног, стоящих слегка врозь с напряжением в пятках.

Все это можно выразить одним словом: «Выпрямись!»

Чтобы почувствовать, что такое «стоять прямо», представьте, будто какой-то гигант держит вас за волосы и почти отрывает от земли. Прямо вы должны не только стоять, но и сидеть и ходить.

Если вы сутулитесь, что делает большинство людей, то нормальная осанка покажется очень неудобной, поскольку мускулы и связки становятся слишком слабыми или слишком напряженными от попыток держать тело в неправильном положении.

Основное упражнение для осанки

Встаньте спиной к стене, ноги слегка расставлены, руки свободно опущены. Затылок, плечи, икры и пятки касаются стены. А теперь постарайтесь прислониться к стенке так, чтобы расстояние между стеной и поясницей было не больше толщины пальца. Подберите живот, вытяните немного шею вверх и поднимите плечи.

Проанализируйте «чувства» всех частей тела, особенно мускулов спины и живота. Другими словами, начните программирование своего позвоночного компьютера в положении нормальной осанки.

Выполняйте это упражнение как можно чаще в течение дня. Как только вы сможете удерживать такое положение тела у стены в течение минуты без утомления, тогда, сохраняя ту же осанку, идите вперед.

Научитесь ходить правильно

Если у вас сильный, вытянутый позвоночник и вы ходите прямо, все удары при ходьбе поглощаются хрящевыми пластинками и дисками, которые выполняют роль пружины и защищают спинной и головной мозг от повреждения.

Если при ходьбе появляются боли, то вы должны контролировать два ключевых места — ноги и позвоночник.

Упражнения для позвоночника, данные в этой книге, помогут сделать вашу походку плавной.

Ноги — это упругие рычаги, которые выносят тело вперед при каждом шаге, и, хотя они и нуждаются в хорошей защите от жестких тротуаров, обувь не должна ограничивать или стеснять свободу действий. Туфли на низких резиновых каблуках или еще лучше на резиновой подошве помогают смягчать удары.

Вы должны идти так, будто ноги начинаются в середине вашего торса, приводя в движение мускулы спины, живота, бедер и ног. Пусть руки ритмично двигаются от самого плеча, голова поднята высоко и гордо.

Сама природа сделала ходьбу идеальным упражнением, которое омолаживает весь организм.

Сидите прямо

Сидеть надо так же правильно, как и стоять. Основание позвоночника должно находиться на задней части жесткого и прямого сиденья.

Спина должна плотно прилегать к спинке стула, форма которого должна соответствовать кривой позвоночника.

Живот должен быть плоским и твердым, не расслабленным, плечи прямые, голова высоко поднята.

Плоское сиденье стула должно быть короче бедра, чтобы край стула не давил на артерии под коленями. Высота от сиденья до пола должна быть такой же, как расстояние от бедра до пола.

Не кладите ногу на ногу! Это вызывает боль в нижней части позвоночника и может привести к заболеваниям половых органов. Не плюхайтесь со всего маху на стул! Этим каждый раз наносится резкий удар по позвонкам, от чего постепенно стираются хрящевые пластинки и диски.

Садясь на стул, опускайте тело легко и мягко, голова должна быть направлена вперед и вверх, шея расслаблена, позвоночник вытянут. Вес тела приходится только на ступни, лодыжки и бедра — эти мощные упругие рычаги должны мягко опускать тело на стул.

Поднимаясь, выталкивайте тело вверх, позвоночник же будет держать голову и торс прямо. Не помогайте себе руками, когда встаете и садитесь.

Первое время будет очень трудно правильно сидеть, но однажды вы почувствуете полное расслабление и отдых, поскольку тело обретет свое естественное положение.

Лежать тоже надо уметь

Треть нашей жизни мы проводим лежа, поэтому позаботиться о позвоночнике в этот период времени просто необходимо.

Если матрас на постели плохого качества, это грозит большими неприятностями позвоночнику.

Мягкий, прогибающийся матрас не может дать хорошей опоры самой тяжелой части тела — тазу, и это искривляет позвоночник в ту сторону, на которой человек спит. Достаточно твердый матрас заставляет позвоночник искривляться в противоположную сторону. Сон на спине или на животе также не дает позвоночнику соответствующей поддержки.

Жесткий, плоский, но достаточно эластичный матрас дает возможность костям плеч и таза сформировать свой собственный естественный прогиб. Поместив широкую ровную доску между матрасом и пружинами кровати, вы получите желаемый тип постели. Хорошо известный ортопед доктор Филип Левин в своей книге «Спина и ее заболевания» рекомендует матрас, набитый ватой, волосом или губчатой резиной. Он также советует «стоять или сидеть прямо» и добавляет, что лежать надо тоже прямо на плоской основе.

Небольшая и достаточно мягкая подушка для головы и шеи позволяет удерживать верхнюю часть позвоночника в совершенно прямом положении, чтобы дать возможность мускулам полностью расслабиться во время сна. Никогда не допускайте, чтобы какая-нибудь часть тела давила на другую, так как это препятствует циркуляции крови. Непроизвольно напряженные лицевые мускулы часто вызывают напряжение шейных позвонков, поэтому старайтесь думать о чем-нибудь приятном, что вызывало бы улыбку на вашем лице.

Упражнения для позвоночника

Человеческий организм способен к активной деятельности до 70—80 лет. Как уже говорилось, и в этом возрасте встречаются здоровые, энергичные люди, имеющие упругую походку, ясные глаза и острый ум.

Если ежедневно хотя бы понемногу упражнять позвоночник, то уже через несколько дней вы заметите исчезновение признаков преждевременного старения. Упражнения для позвоночника настолько просты в исполнении, что даже удивительно, почему эти основные принципы сохранения молодости находятся в забвении.

Можно полностью восстановить функции позвоночника в любом возрасте с помощью простых упражнений, выполнение которых не представляет никаких трудностей. Эти упражнения способны оздоровить весь организм, так как, тренируя позвоночник, мы создаем условия для защиты отходящих от спинного мозга нервов, которые управляют различными органами.

Тренируя и растягивая позвоночник, мы в то же время усиливаем мускулы и связки, которые будут держать позвоночник в растянутом состоянии. Все это сформирует правильную осанку. Ваш организм будет стимулировать циркуляцию крови и передачу нервной энергии. Все внутренние органы окрепнут, когда уменьшится давление на управляющие нервы, дыхание станет глубже и все клетки получат больше кислорода — этой бесценной «невидимой пищи».

Однако, приступая к выполнению оздоровительных упражнений, следует руководствоваться следующими правилами:

- не прилагайте резких усилий к закостеневшим местам;
- выполняйте упражнения, соизмеряя нагрузки со своими физическими возможностями;

- не стремитесь выполнять упражнения с максимальной амплитудой движения;
- рассчитывайте свои силы, не переутомляйтесь;
- в течение первой недели делайте упражнения достаточно медленно;
- если почувствуете боль или недомогание, немедленно прекращайте занятия!

Первое время вы будете чувствовать боль в мышцах, но это не должно вас останавливать. Через несколько дней, в течение которых должны продолжаться тренировки, боль пройдет. Скоро вы почувствуете большое удовлетворение, а результаты занятий будут просто поразительны.

Итак, давайте начнем! Здесь представлены основные упражнения для позвоночника, отличающиеся друг от друга по эффекту действия, хотя внешне они сходны между собой. После каждого упражнения можно отдохнуть, но выполнить всю серию нужно обязательно.

Упражнение 1

Это упражнение оказывает воздействие на ту часть нервной системы, которая отвечает за голову и глазные мышцы, а также на целую сеть нервов, идущих к желудку и кишечнику. Таким образом, выполняя только это одно упражнение, мы оказываем воздействие на источники таких недугов, как головная боль, напряжение глаз, несварение желудка и плохое усвоение пищи.

Лягте на пол лицом вниз, поднимите таз и выгните спину дугой. Тело опирается только на ладони и пальцы ног. Таз должен быть расположен выше головы. Голова опущена. Ноги расставлены на ширину плеч. Колени и локти выпрямлены.

Опустите таз почти до пола. Помните, что руки и ноги должны быть прямые, что придает особую напряженность позвоночнику. Поднимите голову и откиньте ее назад.

Делайте это упражнение медленно. Опустите таз как можно ниже, а затем поднимите его как можно выше, выгнув вверх спину, снова опустите, поднимите и опустите.

Если вы делаете это упражнение правильно, то через несколько движений почувствуете облегчение, так как происходит расслабление позвоночника.

Упражнение 2

Это упражнение предназначено главным образом для стимуляции нервов, идущих к печени и почкам. Оно приносит облегчение в случае заболеваний этих органов, возникающих по причине нервных расстройств. Вялая печень и затвердевшие почки, преждевременно постаревшие, в результате выполнения этого упражнения снова начнут хорошо функционировать.

Исходное положение то же, что и для упражнения № 1.

Лягте на пол лицом вниз, поднимите таз и выгните спину, тело опирается на ладони и пальцы ног. Руки и ноги прямые. Поверните таз как можно больше влево, опуская левый бок как можно ниже, а затем вправо. Руки и ноги не сгибайте. Движение выполняйте медленно и постоянно думайте о растяжении позвоночника.

Сначала упражнение покажется вам очень утомительным. Но постепенно делать его будет все легче — не потому, что усиливаются мышцы, а потому что значительно укрепляется нервная система.

Помните, что это упражнение никогда не будет для вас слишком простым в отличие от обычного раскачивания тела.

Упражнение 3

Упражнение придает особую силу той части позвоночника, где сосредоточены нервы, управляющие желудком. Кроме того, оно эффективно для всего позвоночника, растягивает его, приводя организм к сбалансированному состоянию.

Лягте на пол на спину, ноги вытянуты, руки в стороны. Согните колени, подтяните их к груди и обхватите руками. Оттолкните колени и бедра от груди, не опуская рук. Одновременно поднимите голову и попытайтесь коснуться подбородком колен. Удерживайте это положение в течение пяти секунд.

Упражнение 4

Данное упражнение — одно из самых важных среди растягивающих позвоночник. Кроме того, оно приносит облегчение толстому кишечнику, стимулируя управляющие им нервы.

Исходное положение то же, что и для упражнения № 1.

Лягте на пол, лицом вниз, поднимите высоко таз, выгнув дугой спину, опустив голову и опираясь на прямые руки и ноги. В таком положении обойдите комнату.

Сколько раз и как часто надо делать эти упражнения?

Сперва надо делать каждое упражнение не более двух-трех раз. Через день можно увеличить до пяти раз и больше.

Уже через несколько дней вы почувствуете, что мускулы наполняются силой, а позвоночник и связки становятся более гибкими.

Нормально развитые люди через несколько дней будут с легкостью выполнять каждое упражнение до 10 раз. После того как в организме появились улучшения, можно сократить выполнение до двух раз в неделю, чтобы сохранить позвоночник гибким и расслабленным.

Некоторые люди говорили, что уже через неделю они почувствовали благоприятные изменения, которые через 2—3 недели стали постоянными. Однако учтите, что изменения в позвоночнике происходили в течение многих лет и нельзя ничего исправить за один день. Только постоянная тренировка позвоночника будет стимулировать рост хряща и сделает позвоночник растянутым и эластичным.

Урок седьмой

ЗДОРОВЫЕ НОГИ

ОХ, ЭТИ НОГИ!..

Большинство людей рождаются со здоровыми ногами, и только безответственное отношение к своему здоровью приводит нас к тому, что, будучи еще совсем не старыми, мы начинаем вздыхать: «Ох, эти ноги убивают меня!»

Стопы — это очень тонко сбалансированный механизм, более сложный, чем самые замечательные часы, и их здоровье зависит от тех условий, которые мы для них создаем.

Только 5 % современной обуви способствуют сохранению баланса стоп, который может быть нарушен при ходьбе по дорогам с твердым покрытием. Это нарушение происходит из-за напряжения или сжатия суставов, напряжения мускулов, ограничения движения стоп или сочетания всех этих причин, прямым следствием которых являются боли в ногах.

Состояние ног можно проверить простым экспериментом. Снимите обувь, встаньте на одну ногу и попытайтесь сохранить равновесие в течение нескольких минут. Если вам это легко удастся, то функционирование стоп нормальное. Если же баланс стоп нарушен, то удержать равновесие будет нелегко. Вы очень быстро устанете и через несколько минут в ногах появятся боли.

Оказывается, внутренняя часть стопы крайне неустойчива, что и мешает удерживать равновесие. Неустойчивая внутренняя часть называется сводом стопы. Основная ее функция — обеспечивать равновесие.

Наружная сторона стопы остается относительно неподвижной, и вес тела приходится именно на эту часть. Наружная часть стопы является несущей, она удерживает тело в вертикальном положении.

Нормальные, здоровые ноги будут полностью уравновешивать тело, заставляя его покачиваться. Слабые, деформированные стопы не смогут сохранить равновесие тела, и вам придется встать на обе ноги, чтобы не упасть.

Стопы ежедневно совершают больше работы, чем любая другая часть тела, и больше, чем любая другая часть тела, подвергаются травмам. Плохая обувь, растяжение связок, ежедневный контакт с жесткими тротуарами — все это в результате приводит к смещению костей стопы и нарушению функции равновесия.

Почти все нарушения в стопе являются результатом плохой обуви, которая не дает ноге возможности действовать свободно и естественно, заставляя кости ног смещаться.

Как только ноги будут функционально сбалансированы, исчезнут напряжение и боли, независимо от того, насколько деформированы стопы.

Как они болят?

У больных ног, которые, как вы говорите, убивают вас, могут быть такие «болячки», как:
- бурсит большого пальца стопы;
- быстро наступающая усталость стоп;

- слабый и болезненный свод стопы;
- боль и судороги мышц свода стопы;
- боль в пятках;
- чувство жжения, онемение;
- боль и судороги мышц;
- боль в коленях и плохая подвижность их суставов;
- мозоли на подошвах.

Кроме того, больные ноги могут вызывать боль в бедрах и спине, трудности в поддерживании равновесия при ходьбе по неровной поверхности, общую слабость, головные боли, раздражительность, нервную возбудимость.

Почему они болят?

В общих чертах причины заболевания стоп следующие.

- Плохо подобранная обувь. Это приводит к постепенному смещению костей, что ограничивает функцию стоп и создает напряжение в своде стопы.
- Обувь на высоких каблуках. По этой причине возникают болевые ощущения, искривления стопы и нарушение равновесия всего тела.
- Дефицит протеинов, необходимых для сохранения здоровья всего организма, и ног в том числе.
- Недостаток кальция и других элементов, необходимых для укрепления костей ног.
- Неправильное выполнение упражнений для ног или количество этих упражнений недостаточно для того, чтобы мускулатура ног получала хорошую физическую нагрузку.
- Недостаточная нагрузка на кости стопы, потому что любая обувь стесняет движение всех 26 костей стопы.

- Связки не получают достаточной нагрузки, требующейся для их нормального функционирования.
- Кроме того, у многих людей есть привычка ходить, выворачивая стопы. Такой «метод» ходьбы приводит к травмированию ее костей и нервных окончаний. Ноги выходят из естественного равновесия, вызывая боли в лодыжке и колене. Бедро и нижняя часть позвоночника начинают также выходить из равновесия. Неприятные ощущения достигают верхней части позвоночника и плеч. Боли появляются во всем теле, и причиной этого является неуравновешенность стоп.
  - В результате выворота стопы происходит смещение костей в сводах стопы, что приводит к напряжению связок и мускулов и, как следствие, к нарушению равновесия тела. Из-за смещения центра тяжести тело подается вперед, что создает в мускулах ног, спины и шеи неестественное напряжение и вызывает боль во всем теле.
  - Таким образом, специфическое смещение определенных костей стоп и, следовательно, ограничение их функционирования приводит к длительному напряжению свода стопы и к различным заболеваниям организма.

Ходите босиком!

Первое, что нужно сделать, чтобы оздоровить свои ноги, это ходить босиком. Ходите босиком при каждом удобном случае и не бойтесь простудиться.

В Индии и Китае среди местного населения, которое имеет привычку ходить босиком, только 7 % населения страдают заболеваниями стоп. А вот в Соединенных Штатах дефекты стоп выявляются у 85 % взрослого населения.

Гавайские девушки и юноши, которые никогда не носят обуви, имеют прекрасные ноги. Большинство людей там ходят босиком или в легких сандалиях. Все любят музыку и танцы. Народные танцы исполняются только босиком.

Разумеется, вы скажете: «Мы живем не в Индии, не в Китае и не на Гавайях! У нас не получится круглый год ходить босиком и танцевать их танцы!» Конечно, не получится. Но старайтесь как можно чаще и дольше ходить босиком дома и на улице, если предоставляется такая возможность.

А когда все-таки приходится надевать обувь, вы должны быть уверены в том, что эта обувь дает полную свободу костям и мышцам стоп.

Когда болят суставы

Обратите внимание на походку пожилых людей. Они ходят так, словно их ступни, колени, бедра, позвоночник и голова закованы в броню. Колени не сгибаются, позвоночник и голова неподвижны. Отчего так меняется походка с возрастом?

Мы уже говорили про смазку суставов — синовиальную жидкость. Она уменьшает трение суставных поверхностей при движениях и предохраняет суставные хрящи от истирания. Когда синовиальной жидкости достаточно, человек может двигаться легко, без боли. Но, увы, с годами количество синовиальной жидкости убывает. Ее вытесняют токсичные кислотные кристаллы. Но годы не токсичны! И даже в 70 лет количество синовиальной жидкости не должно уменьшаться в суставах.

Не природа заставляет болеть ваши ноги, это делаете вы сами, накапливая в организме токсины и кислотные кристаллы.

Почаще вспоминайте, что отложения в суставах ног образуются из вредной, «мертвой» пищи, которую мы едим всю свою жизнь.

Голодание — самый быстрый путь растворения кислотных кристаллов в суставах и шпор на ногах. Но не ожидайте мгновенного чуда. Эти отложения накапливались в течение многих лет, и иногда требуются долгие месяцы, чтобы вывести их.

Кроме того, оздоровить суставы помогут и рекомендации по уходу за ногами, которые вы прочитаете в этой главе.

Как правильно мыть ноги

Эта процедура должна доставлять удовольствие, а не превращаться в формальное намыливание стоп во время принятия душа.

Так же как и все тело, ноги потеют, при этом находясь целый день в обуви и чулках или носках. Ноги остаются потными намного дольше, чем остальные части тела. Это может привести не только к неприятному запаху, но и к нарастанию грубой мертвой кожи, которая часто причиняет боль и раздражение.

Принимая ножную ванну, положите рядом щетку с умеренно жесткой щетиной, старую зубную щетку и кусок пемзы.

Сначала тщательно вымойте ноги (особенно подошвы) щеткой с большим количеством воды и мыла. Затем помойте ноги между пальцами, использовав старую зубную щетку (иным способом туда не добраться). Очень важно тщательно мыть именно эти места, чтобы избавиться от такого неприятного заболевания, как эпидермофития стоп.

Затем обмойте ноги водой и, пока они мокрые, потрите пемзой огрубевшие части ступни, особенно пятки и подушечки пальцев. Двигайте камень легко, круговыми движениями, это помогает смягчить кожу и убрать затвердевшие наросты.

Важно правильно высушить ноги. Эпидермофития вызывается грибком, который хорошо развивается на теплой влажной коже. Если вы не высушите стопу, особенно между пальцами, то рискуете получить это заболевание. Чтобы не раздражать нежные участки кожи между пальцами, не трите эти места, а мягко промокайте их сухим полотенцем. Остальную часть стоп можно вытирать достаточно энергично, что будет стимулировать кровообращение в ногах.

Как ухаживать за ногтями на ногах

После ножной ванны сделайте педикюр. Пока кожа теплая и размягченная, можно легко удалить кутикулу, которая образуется вокруг ногтей. Никогда не подрезайте уголков ногтя — это одна из главных причин врастания ногтей в тело.

Мозоли, врастание ногтей, бурсит большого пальца, уплотнение кожи, эпидермофития — вот основные заболевания стоп ног, которые могут причинить вам много неприятностей.

И в заключение необходимо протереть ноги касторовым маслом и посыпать тальком, предварительно удалив излишки масла. Вместо талька очень хорошо использовать антисептическую пудру — смесь 10%-ной борной кислоты с обычным тальком.

Если ноги устают

Запомните несколько процедур, которые помогут вам сохранить здоровье ног.

Ножные ванны

Сядьте, опустив ноги в ванну. В течение пяти минут направляйте попеременно на ноги сильную струю то горячей, то холодной воды.

Массаж

Наберите на руки побольше присыпки и вращательным движением массируйте сначала подошву, затем сбоку поднимитесь к лодыжкам, создавая значительное давление на эти участки. Чем энергичнее вы будете делать массаж, тем лучше будет циркуляция крови, которая вымывает токсины и оживляет ноги. Основные признаки плохой циркуляции — боль и холод в ногах. С усилением циркуляции кровь будет достигать самых дальних от сердца точек стоп и оживлять их.

ТРЕНИРОВКА НОГ

Наши ноги находятся закованными в обувь большую часть суток. Их активность ограничена, у них нет полной свободы для нормальной деятельности тканей, мускулов и сухожилий. Почти все остальное время затрачивается на сон. Значит, практически 24 часа в сутки ноги не функционируют нормально.

Чтобы ноги были сильными и здоровыми их мускулы, кости и сухожилия нуждаются в энергичных и регулярных упражнениях.

Очень хорошо, когда человек заботится об усталых ногах, но гораздо лучше добиться такого состояния, когда ноги вообще не будут уставать.

Если ежедневно в течение 10—30 минут делать упражнения для ног, то можно решить эту проблему. Чем лучше кровообращение ног, тем меньше опасность, что в конце дня наступит упадок сил.

УПРАЖНЕНИЯ
ДЛЯ ОЗДОРОВЛЕНИЯ НОГ

Перед тем как начать делать упражнения для ног, снимите даже тонкие носки. Ноги должны быть босые!

Общие упражнения

Упражнение № 1

Поставьте ступни параллельно, поднимитесь на носки, опуститесь на полную ступню. Проделайте упражнение не менее 20 раз. Это самая лучшая разминка.

Упражнение № 2

Попытайтесь пальцами босой ноги ухватить маленький шарик и поднять его на высоту 30 см. Уроните его на пол. Сделайте то же самое пальцами другой ноги. Делайте это упражнение по 5 минут каждый день. Сначала, может быть, вам будет трудно схватить шарик, но после нескольких попыток это обязательно удастся. Все длинные сухожилия и сами пальцы станут сильнее.

Упражнение № 3

Встаньте босыми ногами на толстую широкую книгу так, чтобы пальцы свисали. Попытайтесь пальцами ухватить край книги. Через несколько дней вы уже сможете опустить пальцы вниз под прямым углом к ступне. Это упражнение также усиливает сухожилия пальцев ног.

Упражнение № 4

Зажмите карандаш между пальцами ног и попытайтесь что-нибудь написать. Это упражнение надо делать до тех пор, пока вы не научитесь писать слова разборчиво. Это упражнение усиливает мускулатуру всей ноги.

Упражнение № 5

Сядьте и одной рукой возьмитесь и крепко удерживайте ступню ноги, а другой возьмитесь за большой палец и вращайте его сначала в одну, а затем в другую сторону. Это упражнение полезно для всех пальцев, но особенно для большого, самого закостенелого.

Упражнения со скалкой

Из всех упражнений для ног эти — самые лучшие. Приобретите скалку и держите ее в таком месте, чтобы она всегда была под рукой.

Упражнение № 1

Сядьте и начните вращать скалку подошвами, перекатывая ее от пальцев к пятке и прилагая при этом некоторое усилие.

Упражнение № 2

Стоя вращайте скалку от пальцев к пятке, надавливая изо всех сил сначала на подошву одной ноги, а затем — другой. Это замечательное упражнение омолодит ваши ноги. Делая его, вы проглаживаете каждый мускул, каждую кость, каждый нерв и сухожилие ноги. Потратьте побольше времени для вращения скалки под сводом стопы.

Чем больше времени вы затратите на вращение скалки, тем сильнее и здоровее будут ноги.

Упражнения во время ходьбы

После энергичных упражнений со скалкой можно значительно нагружать мускулы, кости, нервные волокна и сухожилия ног следующим образом:

- походите на внешней стороне подошвы;
- походите на внутренней стороне подошвы;
- походите на пятках;
- походите на цыпочках.

Упражнения помогают при растянутых связках и мышцах.

Можно помочь усталым и больным стопам, если лечь на спину и положить ноги на небольшое возвышение, например на подушку, чтобы снизить к ним прилив крови, или подержите их в течение короткого времени на весу выше головы. Отдых для ног будет полезен и для всего тела.

Все соли, накопленные за много лет, уйдут, если вы будете правильно питаться и регулярно делать упражнения для ног.

Урок восьмой

ВОДА ПРАВИЛЬНАЯ
И НЕПРАВИЛЬНАЯ

КРУГОВОРОТ ВОДЫ
В ОРГАНИЗМЕ ЧЕЛОВЕКА

Что формирует здоровье человека? Пять основных факторов: воздух, вода, солнечный свет, физическая активность. По степени важности для человека на втором месте после кислорода стоит вода.

В среднем человеческое тело содержит около 43 литров воды. Ежедневно во время дыхания, при потении, с мочой и калом из организма выделяется приблизительно 3,5 литра жидкости. Именно вода контролирует температуру человеческого тела, которая в нормальном состоянии равна 36,6 °C. Если температура тела повышается, нас бросает в жар, если опускается ниже этой отметки, наше физическое состояние становится вялым и в целом ухудшается. Вода составляет 92 % в общем содержимом человеческой крови и почти 98 % в кишечных, желудочных, панкреатических соках и в слюне.

Мы, к сожалению, часто видим людей с нарушениями, вызванными дисбалансом воды в организме. У них сухая, старая, бледная кожа. У них сухие и увядшие руки, многочисленные морщины на щеках и вокруг глаз. Загляните им в глаза, и вы увидите, что они как бы подернуты пеленой. Кажется, таким людям необходимо очень сильно прищуриться, чтобы что-то разглядеть.

Многие люди постоянно мучаются запорами, что является еще одним признаком обезвоживания организма. Другие страдают жжением в уретре при мочеиспускании, что также связано с нарушением водного баланса в организме.

ВОДА НА СТРАЖЕ ЗДОРОВЬЯ

Одна из важнейших функций воды в организме — вымывание из тела токсинов и солей. К сожалению, люди во всем мире потребляют слишком много соли. Всего несколько сотен лет назад жители многих стран не знали, что такое соль. Ее отсутствие не мешало им быть здоровыми и счастливыми.

Японцы — одни из самых активных потребителей соли (хлорида натрия). Японский фермер, который доживает до 60 лет, съедает каждый день около 60 граммов соли. От японцев не отстают и американцы. Их любимые блюда — ветчина, жареные сосиски, картофельные чипсы, соленые орешки — просто напичканы солью. Неудивительно, что в Америке так высок процент сердечных болезней, высокого кровяного давления, больных почек, артритов, а также потери эластичности артерий, вен и остальных кровяных сосудов.

Соответствующее количество воды и ее оптимальный состав помогают снизить высокий уровень холестерина в крови. Соответствующая организму вода сохраняет клетки тела в нормальном состоянии и не допускает дегидратации.

У людей, которые потребляют воду должного качества (дистиллированная вода, свежие фрукты и овощи и соки из них) и в достаточных объемах, гораздо лучше функционирует система кровообращения — самое важное условие здоровой и долгой жизни.

Правильная вода помогает улучшить работу не только тела, но и мозга, она способствует более продуктивному и точному мышлению. Объяснение здесь простое: 15 миллиардов клеток вашего мозга на 70 % состоят из воды.

Часто бывает так, что чрезвычайно нервный или взволнованный человек настолько уходит в свои проблемы и тревоги, что забывает о том, сколь важно пить воду нормального качества или другие жидкости с подобными свойствами. Вместо этого он оглушает себя алкогольными напитками и усугубляет депрессивное состояние, заполняя желудок вредными веществами и не помогая ему освободиться от них. В результате, помимо нервозности и депрессии, он получает резкие боли в желудке, учащенное сердцебиение и другие неприятности. Но вместо того чтобы исправить положение, он начинает ухудшать его дальше — поглощает в больших количествах аспирин, курит, принимает химические стимуляторы. А ведь нервам для нормального функционирования нужно только одно — достаточное количество натуральной жидкости.

ЧЕЛОВЕЧЕСТВУ НЕ ХВАТАЕТ ПРАВИЛЬНОЙ ВОДЫ

Да-да, именно воды, которой так много вокруг! И — так мало, если рассматривать ее как питьевую воду.

Действительно, хотя на Земле имеются миллиарды и миллиарды свежей и чистой воды, ее совсем немного, когда речь идет о возможности напоить человечество.

Вода — это химическое соединение, имеющее форму H_2O, одно из самых распространенных веществ на поверхности нашей планеты, содержится в тех или иных пропорциях во всех натуральных продуктах. Вода, как универсальный растворитель, не может быть заменена ни одним другим веществом, способным обеспечить в полном объеме возможности тела выполнять все его физиологические функции.

Человеческому телу необходима вода, но помните — ему необходима не любая, а химически чистая вода, которая на 100 % состоит из чистых кислорода и водорода.

Большая часть используемой нами в настоящее время воды является загрязненной. Сейчас практически невозможно отыскать водоемы, которые хотя бы в малой степени не были бы загрязнены. Следовательно, воду приходится очищать, чтобы она стала более или менее пригодной для употребления.

Однако действительно ли вода становится более пригодной для употребления после промышленного очищения? Возможно, вы знаете, что для этого на водоочистных предприятиях применяют неорганический хлор, назначение которого — противодействовать бактериям загрязненной воды. Для фильтрации воды и очистки ее от грязи также используются квасцы и многие другие неорганические минеральные вещества.

Но наихудшим компонентом из этой когорты «защитников», через которые пропускается питьевая вода, является неорганический фторид натрия (который также, к сожалению, присутствует и в зубной пасте). По моему мнению, это самое плохое, что только можно сделать с водой, которая затем попадает в наш организм.

Неорганические вещества, употребляемые для «очистки» воды (хлор, квасцы и фторид натрия), являются инертными. Это означает, что они не могут поглощаться живыми тканями организма.

В течение многих лет нам твердят, что некоторые виды воды «богаты всеми минералами». Но о каких минерах говорят люди, высказывающие подобные утверждения? Органических или неорганических? У человеческих тел и у растений разный химический состав. Только живые растения могут преобразовывать неорганические минеральные вещества в органические. А неорганические минералы приносят нашему здоровью лишь вред.

ОСТОРОЖНО: НЕОРГАНИЧЕСКИЕ МИНЕРАЛЫ!

Как я уже говорил выше, хлор, квасцы и другие минеральные вещества добавляются в питьевую воду для ее очистки. Нередко для этой цели, помимо указанных, используются и другие их опасные «родственники», такие как карбонат кальция и его химические соединения, карбонат магния, карбонат калия и им подобные.

Разумеется, все эти вещества нашему организму совершенно не нужны. Однако телу постоянно требуется вода — именно вода в чистом виде. Откуда мы можем получить такую воду? Ведь даже вода, не прошедшая «очищающую» обработку, — из источников, колодцев и т. п. — почти всегда содержит какую-то часть неорганических минералов, о которых мы говорили выше.

Горькая ирония судьбы: та самая жидкость, без которой человек не может просуществовать более

74 часов, чтобы не впасть в полукоматозное состояние, чаще всего сама содержит в себе именно те неорганические химические вещества, которые вызывают преждевременное старение...

Страшная сила фтора

Миллионы людей в последние годы подвергаются массированной психологической атаке, организаторами которой являются представители алюминиевых компаний, старающихся убедить всех, что добавление в воду и в зубную пасту фторида натрия приводит к сокращению скорости разрушения зубов у наших детей. Поэтому в настоящее время по крайней мере 80 миллионов американцев вместе с питьевой водой ежедневно получают дозу этого «полезного» вещества.

Мало кто знает, что именно фтор позволил ядерному оружию появиться на свет. В свое время почти единственным способом извлечения изотопа урана-235 из огромных масс изотопа урана-238 была прогонка газообразного уранового гексофторида через толщу полупроницаемых мембран, в которых постепенно накапливался, выделяясь из общего потока, требуемый изотоп.

Химики-ядерщики назвали исходный зловещий продукт гексом. Именно гекс — виновник быстрого разрушения водопроводных коммуникаций и насосных систем.

Миллионы людей употребляют питьевую воду, в которой растворен фторид натрия, и чистят зубы фторированной зубной пастой. В соединении с натрием фтор не столь разрушителен, как гекс, но разве можно говорить о его безопасности, если в более высоких концентрациях он используется как истребитель крыс, как самый сильный пестицид в сельском хозяйстве?

Нас убеждают, что «очищенная» таким образом вода совершенно безопасна. Но каждый квалифицированный химик знает всю надуманность утверждения об «абсолютной безопасности» соединений фтора. Они-то хорошо осведомлены, что фтор очень опасен, если попадает внутрь нашего организма.

К тому же, где вы видели в природе, чтобы живые существа нуждались в этом элементе? Да и человек прожил многие тысячи лет, не потребляя ни фтора, ни его соединений.

Жесткая вода — виновник «затвердения» артерий

Кто хоть раз бывал в известняковых пещерах, наверняка видел, как капля за каплей вода, насыщенная известняком, создает сталактиты и сталагмиты. Похожий процесс протекает и внутри нашего тела, в котором строительным материалом выступают карбонат кальция и другие неорганические минералы, в том или ином количестве всегда присутствующие в питьевой воде.

Жесткая вода — это катализатор, ответственный за образование твердых веществ при попадании в человеческий организм и за последующий процесс метаболизма, который протекает в течение многих лет. Именно она — главный виновник так называемого «затвердения артерий».

Врачи называют это ухудшенное состояние артерий артериосклерозом. По мнению медиков, атеросклероз — естественный и неизбежный процесс, сопровождающий человека на протяжении всей жизни.

Однако некоторые люди, хотя их и мало, критически относятся к этому подходу, отказываясь принимать как факт, что артериосклероз и слабоумие в старческие годы — явления неизбежные.

К сожалению, даже самые профессионально подготовленные врачи в настоящее время заявляют, что практически не существует эффективных способов лечения известкования артерий. В последнее время разрабатываются методики замены крупных артерий и вен сердца и шеи пластмассовыми проводниками. Особенно часто эксперименты такого рода проводятся с сонной артерией и яремной веной.

Кроме того, делаются попытки проведения дорогостоящих хирургических операций по удалению неорганических отложений из некоторых крупных артерий тела. Однако если вспомнить обо всей системе, по которой циркулирует в теле кровь, становится понятным, что очистка отдельных, сравнительно небольших ее участков мало что дает. Чтобы результат был по-настоящему заметным, подвергнуть очистке надо многие километры артерий, вен и капилляров.

Наш мозг страдает от неорганических минералов

Наибольшую опасность неорганические минералы, а также соль (хлорид натрия) и вязкий холестерин представляют для тонких артерий и других каналов подачи крови к мозгу.

Современная наука в некоторой степени научилась справляться с недостаточным функционированием почек, печени, сердца и других важных органов тела, но не существует никаких способов, позволяющих восстанавливать жизнь мозга после того, как он стал «окаменевать».

Наш мозг с годами работает все хуже и хуже не по объективным причинам, а лишь потому, что мы изо дня в день допускаем его отравление.

Затвердение артерий и кальцинация кровеносных сосудов начинается со дня рождения, потому что именно с этого дня мы начинаем вводить в наш организм неорганические вещества.

Влияние на почки

Жесткая вода с большим количеством химических веществ, насыщенная карбонатом кальция и другими неорганическими минералами, является основной причиной образования камней в почках.

В одном из районов Калифорнийской пустыни на глубине около сотни метров течет подземная река. Если выкопать на ее пути колодец, то вода в нем будет горячей, около 80 °C. В ней очень много карбоната кальция и подобных ему соединений, таких, например, как карбонат магния. Люди стараются не прокачивать эту воду через чугунные или стальные трубы, поскольку знают, что скоро отложения неорганических минералов забьют трубы. Для водопроводной системы можно использовать только медные трубы.

В санатории, построенные в этих местах, приезжают тысячи пациентов со всего мира, чтобы поплавать в оздоровливающих водах этой реки. Особенно они благоприятны для тех, кто страдает от артритов и ревматизма. Обычно вода в бассейнах для купания пациентов санаториев имеет температуру от 40 до 42 °C.

Нормальная температура тела человека 36,6 °C, и если он попадает в более горячую воду, то начинает испытывать искусственный жар, и большое число ядовитых веществ, накопившихся внутри, начинает выбрасываться из организма через 96 миллионов пор человеческого тела. Мы знаем, что после того как человек хорошо пропотеет, он чувствует себя гораздо лучше, так как его тело очистилось.

Однако у этой оздоровительной процедуры есть обратная, темная сторона. К сожалению, до сих пор большинство врачей настойчиво рекомендуют своим пациентам еще и пить эту очень жесткую воду, обильно насыщенную неорганическими минералами. Если вы нальете в емкость 20 литров такой воды и оставите ее испаряться на солнце, то в конце концов увидите на стенках достаточно толстый слой неорганических минералов.

Послушайтесь доброго совета: никогда не пейте воду с неорганическими минералами!

Помните: мы не можем усваивать неорганические минералы непосредственным образом. Нам предоставлена возможность делать это только с органическими веществами, живыми или жившими недавно структурами.

О «ПОЛЬЗЕ» МОРСКОЙ ВОДЫ

В течение последнего времени то там, то здесь появляются некоторые «специалисты по питанию», которые рекомендуют принимать в некоторых количествах морскую воду, так как в ней, по их утверждению, содержатся минералы, полезные для человеческого организма.

Чаще всего эти «ученые» ссылаются на то, что ежегодно в океан смываются миллиарды тонн верхнего слоя почв с прибрежных территорий и что минералы, содержащиеся в таких почвах, очень полезны для укрепления нашего здоровья.

Эти утверждения ложны! Действительно, океан — огромный склад различных неорганических минералов. Однако человеческое тело не может использовать напрямую неорганические минералы, независимо от того, откуда они попадают в него: из колодца, ручья, реки, озера или океана. К тому же, концентрация хлорида натрия (обыкновенной соли) в океанской воде очень высока, и при этом она не может перерабатываться организмом.

Не пейте морскую воду, какие бы аргументы в защиту этого вы ни услышали! Моряки и люди, оставшиеся в живых после кораблекрушения, не раз пытались пить морскую воду, но всегда результатом были огромные страдания, а порой и мучительная смерть.

КАК ИЗБЕЖАТЬ ОТРАВЛЕНИЯ ОРГАНИЗМА «ОЧИЩЕННОЙ» ВОДОЙ?

Нужно пить только дистиллированную воду и соки.

Нужно следить за тем, чтобы ежедневно употреблять не менее 10—12 стаканов воды или фруктовых и овощных соков. Я глубоко уверен в пользе воды, но я также верю, что вы сможете увеличить свои жизненные силы, употребляя травяные настои, фруктовые и овощные соки.

Особенно хорош консервированный овощной сок.

Консервированные соки готовят из отборных, самых зрелых фруктов и овощей. Они сохраняют все ценные питательные вещества, данные природой. Консервация осуществляется с помощью вакуумных процессов. В связи с этим употребление консервированных соков во многих отношениях предпочтительнее, чем употребление свежих соков, приготовленных из зеленых фруктов и овощей. Дело в том, что много фруктов и овощей собирается и отправляется на городские рынки в недозрелом виде.

Не нужно бояться употреблять все не подслащенные фруктовые и овощные соки, которые вам доступны. Но если вы не пьете фруктовые и овощные соки, обязательно соблюдайте ежедневное обильное питье воды. Выработайте привычку ежечасно выпивать стакан воды, фруктового или овощного сока. Глубоко усвойте необходимость ежедневного поддержания водного баланса в организме.

Чтобы улучшить вкус воды, советую добавлять в нее немного свежего лимонного сока. Обычно я делаю так во время своих многочисленных путешествий по всему свету. Действительно, вода кажется довольно безвкусной, пока не добавишь в нее лимонного сока, который придает ей освежающий вкус.

Очень хорош арбузный сок. Нужно вырезать сердцевину арбуза, поместить в сложенный кусок марли или чистый лоскут ткани и отжать сок. Арбузный сок можно хранить в холодильнике несколько дней. Он очень богат натрием, а натрий оказывает сильное очистительное воздействие на организм.

Яблочный сок, консервированный или свежеприготовленный, — прекрасный напиток, который содержит много ценных минералов, положительно воздействующих на клетки организма. Яблочная кислота — мощный очиститель.

Урок девятый

ЗДОРОВОЕ ДЫХАНИЕ

ДВА СПОСОБА ДЫХАНИЯ

Если люди страдают от кислородного голодания, то они, как правило, страдают от раздражительности и имеют многочисленные проблемы со здоровьем. Как мы уже обсуждали, жизнедеятельность внутренних органов напрямую зависит от стимуляции, которую эти органы получают от нервной системы. Поэтому нервное истощение влияет на работу желудка, почек, кишечника и других органов, вызывая постоянный стресс и бесчисленные недуги.

Сердце и легкие особенно чувствительны к нервному истощению и нервному напряжению. Мы все знаем, что малейшее волнение приводит к учащению сердечного ритма и дыхания. Страх и печаль оказывают на сердце и легкие депрессивное воздействие, последствия которого могут быть весьма серьезными. Кровь является потоком жизни, и ее надо содержать в чистоте. Эта функция возлагается на сердце и легкие. С каждым вдохом животворный кислород насыщает кровь, а с каждым выдохом из нее выводится углекислый газ. Поэтому важно, чтобы мы дышали правильно.

Есть два способа дыхания: грудное и диафрагмальное.

Грудное дыхание

Грудное дыхание является результатом движений реберной части туловища, особенно верхней части грудной клетки. Во время вдоха грудная клетка расширяется, а во время выдоха сжимается. Такая форма дыхания, особенно когда вдох и выдох делаются до предела, является прекрасным упражнением, развивающим грудную клетку, и полезно во многих отношениях.

Грудное дыхание естественно применяется человеком, когда он совершает какое-либо усилие.

Такое дыхание может усиливаться, подобно тому как форсированная воздушная тяга обеспечивает повышение давления пара, вырабатываемого паровым котлом.

Диафрагмальное дыхание

Диафрагмальное дыхание, которое иногда называют брюшным, по своему действию отличается от грудного дыхания. При вдохе живот раздувается, а при выдохе сокращается.

Нужно понимать, что воздух не поступает в брюшную полость при дыхании. Это невозможно. Диафрагма представляет собой широкую мышцу, которая отделяет сердце и легкие от органов, находящихся в брюшной полости. Когда эта мышца сокращается, двигаясь вниз, происходит всасывание воздуха в легкие, то есть вдох. Когда диафрагма поднимается, воздух вытесняется из легких, происходит выдох.

Кажется странным, что механизм дыхания, который запускается в момент рождения и останавливается только со смертью, может быть неправильным. Однако достаточно понаблюдать за окружающими, чтобы убедиться в том, что мало кто из нас постоянно применяет диафрагмальное дыхание.

Совсем наоборот. Взрослому человеку свойственно грудное дыхание.

Это объясняется тем, что когда мы достигаем юношеского возраста, наша одежда и неправильные позы, которые мы принимаем, сдерживают движение диафрагмы, вынуждая более мощные мышцы грудной клетки помогать процессу дыхания. Так постепенно вырабатывается привычка грудного дыхания. Эта привычка за многие годы настолько укореняется в человеке, что требуется много терпения и усилий для возврата к правильному типу дыханию.

Преимущества диафрагмального дыхания

Диафрагмальное дыхание обладает следующими существенными преимуществами перед грудным дыханием.

• Происходит лучшее насыщение кислородом крови в результате того, что воздух попадает в нижнюю, более емкую часть легких.

• Стимуляция циркуляции крови в брюшной полости, производимая повышением и понижением давления в ней, очень важна для правильной работы внутренних органов, расположенных в брюшной полости.

• Стимуляция перистальтики кишечника способствует улучшению пищеварения, выведению токсинов из организма. Я знаю сотни случаев, в которых переход от грудного к диафрагмальному дыханию способствовал излечению таких заболеваний, как хронический запор, газообразование, изжога, несварение желудка, болезни печени и др.

- Диафрагмальное дыхание успокаивающе действует на нервы, особенно на блуждающий нерв и солнечное сплетение, снимает парализующее нервное напряжение, столь часто наблюдаемое у людей со сверхчувствительными, расстроенными нервами. Тесная связь между блуждающим нервом, дыханием и внутренними органами проявляется в момент рождения ребенка. У не родившегося еще ребенка все внутренние органы бездействуют. Но с первым вдохом, «вдохом жизни», или «вдохом Бога», все внутренние органы вступают в работу. Этот вдох вызывает пробуждение блуждающего нерва и солнечного сплетения.

Как научиться диафрагмальному дыханию?

Лучше всего начать учиться диафрагмальному дыханию лежа, потому что в этом положении оно легче всего выполняется. После нескольких недель добросовестной тренировки лежа продолжайте регулярно выполнять диафрагмальное дыхание сидя и стоя. Сознательно контролируйте диафрагмальное дыхание до тех пор, пока не достигнете автоматизма, то есть пока оно не станет привычкой.

Сознательно контролируемое диафрагмальное дыхание помогает нормализовать работу сердца. Трепетание сердечной мышцы, сбои пульса и другие нарушения сердечной деятельности возникают, как правило, у людей с расшатанными нервами. Я знаю много случаев, когда диафрагмальное дыхание помогло людям избавиться от серьезных форм нарушений сердечной деятельности.

Привычка к диафрагмальному дыханию является первым показателем здоровья, позволяет судить о том, нервный человек или нет.

ЛЕЧЕНИЕ ДЫХАНИЕМ

Длительное, замедленное диафрагмальное дыхание при расстроенных нервах

Многое может возбудить нервы: разного рода заботы и беспокойства, горе, эмоциональный шок, стресс, напряженность. Семейные отношения могут привести к нервному расстройству. Мужья и жены, плохо контактирующие друг с другом, часто ссорятся. Отсутствие взаимопонимания между родителями и детьми создает атмосферу напряженности в семье.

Семейные, финансовые, родственные проблемы, болезнь — все это может привести к эмоциональному расстройству.

Есть верный способ восстановить душевное равновесие, когда вы расстроены. Идите сразу в уединенное место, даже если это будет туалет. Сядьте спокойно. Нащупайте свой пульс. Вы почувствуете, что он учащен. Вы обнаружите также, что при эмоциональном возбуждении ваша грудь вздымается от учащенного дыхания.

Теперь измените способ вашего дыхания. Делайте долгие, полные диафрагмальные вдохи. Определите, какое минимальное количество медленных дыханий вы можете сделать в минуту. Через несколько минут вы обнаружите, что ваш пульс замедлился. Нервы успокоились. Вместо того чтобы пытаться решать свои проблемы в возбужденном состоянии, вы теперь спокойны. Длительным, замедленным диафрагмальным дыханием вы перенастроили себя от эмоциональности к логическому мышлению. Вы становитесь хозяином ситуации. Вы больше не смотрите субъективно на свои проблемы, а способны на широкий объективный взгляд на вещи.

Если вы будете применять такой метод успокоения, когда эмоциональные бури потрясают вас, вы сохраните много нервной энергии.

Длительное, замедленное диафрагмальное дыхание для продления жизни

Меньше всего живут животные, которые быстро дышат. Дольше всего живут животные с замедленным дыханием. Эту истину я узнал много лет тому назад от Брезатариана, который жил в Индии. Многие говорили, что ему уже 130 с лишним лет. Но выглядел он как хорошо сохранившийся семидесятилетний мужчина. Он имел острое зрение, лицо без морщин, отличался радостным, благожелательным расположением духа, ясностью ума и прекрасной памятью. Он практиковал длительное, медленное диафрагмальное дыхание и добился такого совершенства, что мог делать одно дыхание в минуту.

Он был действительно индийским гуру, учителем. И ему удалось достичь совершенного сознания, блаженства и счастья. Впоследствии он ушел в Гималаи. Мне говорили люди, недавно вернувшиеся из Индии, что гуру жив и прекрасно себя чувствует.

Попеременное поднимание и опускание диафрагмы вызывает соответствующее движение органов брюшной полости, что заставляет живот вздуваться и сокращаться. Это приводит к попеременному повышению и понижению давления в брюшной полости.

Диафрагмальное дыхание является правильным способом спокойного дыхания. Его можно назвать нормальным дыханием. Так мы естественно дышим в детском возрасте.

Вместо заключения
ДОПОЛНИТЕЛЬНЫЕ СОВЕТЫ

КАК ИЗБЕГАТЬ ПСИХОЛОГИЧЕСКИХ ТРАВМ

- Не переоценивайте собственные силы. Некоторые люди слишком многого от себя требуют, стремятся к совершенству. Они перенапрягаются, пытаясь сделать то, что выше их возможностей. Нельзя самосовершенствоваться ценой нервного истощения. Никто не может быть специалистом во всем. Старайтесь делать все наилучшим образом, но в пределах своих возможностей. Никто не ждет и не требует от вас невозможного, так и вы не требуйте невозможного от самого себя. Это обеспечит вам более долгую, здоровую и счастливую жизнь.

- Не держите в себе недовольство. Если вы чувствуете, что имеете к кому-то обоснованные претензии, то придите к этому человеку, сядьте и спокойно выскажите все, что думаете. Это прояснит ситуацию и улучшит ваше взаимопонимание. Не держите в себе чувство обиды. Выбросьте его из сердца как можно быстрее и как можно спокойней. В девяти случаях из десяти оно возникло из-за отсутствия взаимопонимания или с вашей стороны, или со стороны вашего оппонента, или с обеих сторон.

- Применяйте такой подход в отношениях со всеми — с детьми, родственниками, родителями, друзьями, сотрудниками. Как много мужей и жен, родителей и детей накапливали маленькие обиды, возникающие между ними, до тех пор пока дело не доходило до невозможности дальнейшего общения друг с другом! Если у вас дело дошло до этой стадии, вам угрожает нервный срыв. В таком состоянии вы нуждаетесь в заслуживающем вашего доверия хорошем друге, докторе, родителе или священнике. Вам нужна беседа с кем-то, кто может быть объективным, снимет стресс, поможет вам прояснить вашу проблему и найти ее решение.

- Остерегайтесь своего темперамента. Темперамент — слишком хорошая вещь, чтобы терять контроль над ним. Будучи под контролем, темперамент становится движущей силой в достижении достойных целей. Выйдя из-под контроля, ваш темперамент может нанести вред вам и окружающим. Когда вы впадаете в гнев, вы расточаете свою нервную силу, растрачиваете драгоценную нервную энергию. Это может привести к физическому и нервному истощению. Когда вы чувствуете, что ваш темперамент выходит из-под контроля, начинайте про себя считать. Не говорите ничего, о чем впоследствии сможете пожалеть. Постарайтесь заняться какой-либо энергичной физической работой. Хорошо помогает быстрая прогулка на открытом воздухе. Постарайтесь выйти из той ситуации, которая ввела вас в такое возбужденное состояние. Не прибегайте к физическому насилию, когда ваш темперамент выходит из-под контроля. Выход из подобных ситуаций не в том, чтобы применять силу. Так совершаются преступления. Направьте эту вырвавшуюся нервную энергию в такое русло, чтобы она не нанесла вреда ни вам, ни кому-либо еще.

- Избегайте споров. Спор — это форма умственного единоборства. Но встречается мало людей, кто может позволить себе вступить в дружеский спор, не испытывая при этом повышенного возбуждения. Такое возбуждение вызывает большое нервное напряжение, которого необходимо избегать для сохранения нервной силы. Если человек с чувствительными нервами, склонный к повышенной возбудимости, чувствует, что разгорается спор, он должен постараться сразу прервать его. Сделать это можно, например, такой фразой: «Может быть, вы правы. По крайней мере, я не буду сейчас спорить с вами». Подобно тому как вода и масло не смешиваются, так и люди могут оказаться несовместимыми друг с другом. Не каждый, с кем вы сталкиваетесь в жизни, нравится вам, согласен с вашими идеями, не каждому нравитесь вы. Не спорьте с такими людьми. Старайтесь держаться от них подальше. Не пытайтесь сделать их сторонниками ваших идей, вашей философии. Это будет пустая трата драгоценной нервной энергии. Не испытывайте ненависти к этим людям. Когда вы кого-то ненавидите, вы разрушаете себя. Относитесь к ним так же, как вы относитесь к дурному запаху, то есть держитесь от них на расстоянии. И если обстоятельства заставляют находиться с ними в одной компании, старайтесь говорить с ними как можно меньше.

- Чаще улыбайтесь. Давно замечено, что смех вызывает вибрации, улучшающие кровообращение в органах брюшной полости. Смех укрепляет здоровье, поскольку радостное состояние ума способствует этому. Улыбайтесь, когда вы читаете и когда отдыхаете. Улыбайтесь, когда вы рассержены или печальны. В конце концов улыбка на вашем лице придаст ему веселое выражение, а внутренняя улыбка подарит вам ощущение веселья, счастья. Читайте веселые книги, смотрите веселые телепередачи. Избегайте людей с угрюмым, мрачным выражением лица. Улыбайтесь, и вы получите улыбку в ответ.

- Избегайте негативных эмоций. Не будьте обидчивы. Если вам сказали что-то обидное, забудьте об этом сразу. Не стоит этому придавать какое-либо значение и тратить драгоценную нервную силу. Немало людей психически нездоровых. Не опускайтесь до их уровня. Старайтесь избегать их на своем жизненном пути. Пусть другие ненавидят, завидуют, ревнуют, живут отрицательными эмоциями. Но не вы! Будьте сильнее, не позволяйте подобным эмоциям отравлять вашу душу. Неконтролируемые эмоции могут сделать вас нервнобольным.

- Избегайте навязчивых мыслей. Боритесь с горем и другими эмоциональными потрясениями, освобождая свой мозг от мыслей о них. Поверните ваши мысли в другом направлении. И самое главное — не вырабатывайте губительную привычку находить удовольствие в том, чтобы истязать себя горем, душевной болью. Если вы переживаете горе, не слушайте тех, кто пытается вас успокоить, выражая вам свое сочувствие. Вы, и только вы, можете преодолеть эту боль. Вам поможет замена мыслей, ясное, без эмоций мышление. Жизнь — это долина слез. Горе и печаль — это часть жизни, к которой вы должны приспособиться. Научитесь не позволять эмоциям брать верх.

- Не тревожьтесь понапрасну. Тревога, подобно горю, сильно преувеличивается многими людьми и используется как средство самоистязания. Многие люди раздувают свои тревоги, чтобы их пожалели и приласкали. Это эгоистическая привычка. Правда, тревога часто неизбежна, особенно когда она связана с крахом в бизнесе, потерей любви, бедностью и т. п. Но и здесь мы также можем опираться на здравый смысл, рассудительность. Мы должны не допускать в сознание чувство тревоги, поскольку оно ничего нам не дает. Наоборот, чем больше мы тревожимся, тем больше напрягается наша нервная система и тем менее мы оказываемся способны преодолеть наши трудности, решать проблемы. Мы должны быть оптимистами при любых обстоятельствах. Оптимист всегда добивается успеха, пессимист — никогда.

- Все хорошее в жизни нужно заработать. Вы можете стать человеком, полным динамической жизненной энергии. Вы можете создать необъятный запас могучей нервной силы. Ничто не может остановить вас, кроме вас самих. Помните, что жизнь течет по вашим нервам, и вы обладаете энергией, чтобы накапливать нервную силу, наполняющую ваши нервы. Но для этого вы должны работать. Все в жизни имеет свою цену. Что вы вложите в созидание нервной силы, то и получите — ни больше, ни меньше.

- Себе поможете только вы сами. Нет чудодейственных лекарств для людей, которые истощили свою нервную силу. Не существует тонизирующих средств, препаратов железа, инъекций, которые созидали бы нервную силу. Остеопатия, хиропрактика, массаж, вибрации, специальные ванны и прочие методы ценны только как местное лечение, но не как средство преодоления нервной и функциональной слабости. Есть только один путь созидания мощной нервной силы. Это конструктивная программа жизни. Ничто не происходит само собой. Вы должны работать каждый день. Знания и мудрость помогут вам добиться в жизни всего, к чему вы стремитесь. Позитивное мышление и позитивная деятельность позволят вам достичь высокой жизнеспособности.

КАК ДОЖИТЬ ДО 120 ЛЕТ

- Положите конец чрезмерной растрате вашей нервной энергии. Медитируйте, освобождайте ваше сознание от тревог и страхов, негативных мыслей и эмоций. Пусть их место займет ясная цель, образ такого человека, каким вы хотите стать, и уверенность в том, что вы добьетесь своей цели.

- Формируйте позитивную жизненную позицию, которая поможет вам в созидании мощной нервной силы. Каждую ночь спите восемь часов глубоким сном, восстанавливающим силы, и, если возможно, устраивайте сиесту после приема пищи в середине дня.

- Руководствуйтесь программой питания, которая обеспечит вам внутреннюю чистоту и здоровье. Избегайте продуктов и напитков, лишенных витаминов, искусственных стимуляторов, таких как табак, кофе, чай, кола-напитки, соль, рафинированный сахар и т. д. Употребляйте преимущественно фрукты и овощи, сырые и правильно приготовленные. Голодайте 24 часа каждую неделю. Проводите несколько раз в году семи- и десятидневные голодания, которые действительно помогут очистить ваш организм от токсинов.

- Выполняйте ежедневную программу физических упражнений. Выходите на свежий воздух, гуляйте, бегайте трусцой, плавайте, танцуйте, играйте в игры. Поддерживайте в активном состоянии все ваши мышцы.

- Дышите глубоко. Кислород тонизирует нервы, способствует формированию нервной силы. Сырые овощи и фрукты богаты кислородом, а очистительное голодание увеличивает способность организма усваивать кислород. Глубокое дыхание очищает кровь от углекислого газа и насыщает ее кислородом, который доставляется к каждой клетке вашего организма.

- Купайтесь ежедневно в теплой или холодной воде и принимайте солнечные ванны.

- Держите ваши эмоции под контролем.

- Не подвергайте ваши нервы нагрузкам, которых можно избежать. Расслабляйтесь. Естественный ритм жизни заключается в чередовании напряжения и расслабления, подобно работе сердца. Настраивайте себя так, чтобы после напряженного действия автоматически наступало расслабление.

- Наслаждайтесь жизнью. Не забывайте об играх и веселье. Вы родились прежде всего для того, чтобы получать от жизни удовольствие. Успех, богатство — это хорошо. Но главное — это наслаждаться жизнью каждый день. Шутите, пойте, насвистывайте и танцуйте. Держитесь подальше от тех, кто распространяет уныние и раздор. Делайте все возможное, чтобы мир вокруг вас стал лучше.

- Выделите время для 12 вещей:
  - для работы — это цена успеха;
  - для размышлений — это источник мощи;
  - для игр — это тайна молодости;
  - для чтения — это основа знания;
  - для поклонения — это вымывает пыль земли из наших глаз;

- для помощи друзьям и общению с ними — это источник счастья;
- для любви — это единственное причастие жизни;
- для мечты — это поднимает душу к звездам.

Издательство «Вектор»
http://www.vektorlit.ru

Тел.: (812) 401-67-47
Адрес для писем: 197022, СПб., а/я 6
E-mail: ns-red@yandex.ru

Тел./факс отдела продаж: (812) 401-67-60, 401-67-61
E-mail: sale@vektorlit.ru, www.vektorlit.ru

ВЕКТОР-М — торговое представительство издательства «Вектор» в Москве:
тел.: (495) 280-02-45, моб. тел.: 8 (910) 480-20-15; 8 (910) 480-20-82
e-mail: info@m-vektorlit.ru

ПРИГЛАШАЕМ К СОТРУДНИЧЕСТВУ АВТОРОВ!

Присланные рукописи не возвращаются и не рецензируются.

По вопросам размещения рекламы в книгах издательства «Вектор»
обращаться по тел.: (812) 401-67-47;
e-mail: reklama@vektorlit.ru

16 +

Брэгг Поль

ПУТЬ К ЗДОРОВЬЮ

*Упражнения, основы натурального питания,
правила дыхания*

Главный редактор М. В. Смирнова
Ведущий редактор Н. Ю. Смирнова
Художественный редактор Е. А. Орловская

Подписано в печать 26.12.2013.
Формат 84 × 108 ¹/₃₂. Объем 5 печ. л. Печать офсетная.
Доп. тираж 2000 экз. Заказ № 21

Налоговая льгота — общероссийский классификатор продукции
ОК-005-93, том 2 — 95 3000

Отпечатано с готового оригинал-макета
в ОАО «Издательско-полиграфическое предприятие «Правда Севера».
163002, г. Архангельск, пр. Новгородский, 32.
Тел./факс (8182) 64-14-54, тел.: (8182) 65-37-65, 65-38-78, 29-20-81

Книга-почтой: *www.postbook.ru*

(812) 952-08-99, 715-36-66

Серия: Семейная медицинская энциклопедия

**Формат: 130 × 200 мм;
объем: 160 с., переплет**

Болезни глаз
и восстановление зрения

Заболевания глаз — серьезная и, к сожалению, очень широко распространенная проблема. Из этой книги вы сможете узнать о наиболее часто встречающихся заболеваниях той или иной части глаза, о мерах профилактики и лечения глазных болезней, а также о том, как вернуть и улучшить зрение. Изложенные в ней советы помогут читателю избежать встречи с офтальмологом или, если уж недуг настигнет, как можно быстрее справиться с ним.

Подробно и доступно описаны:

⚔ причины и симптомы воспалительных заболеваний глаз;

⚔ наиболее эффективные методики восстановления зрения;

⚔ приемы массажа для глаз и рецепты фитотерапии.

Эта книга — для всех, кто хочет вернуть и сохранить здоровье глаз и хорошее зрение.

Другие книги в серии:

➢ Гастрит и язва: эффективные схемы лечения и профилактики

➢ Болезни щитовидной железы. Эффективные методы лечения и профилактики

Книга-почтой: *www.postbook.ru*

(812) 952-08-99, 715-36-66

Серия: Подарочные комплекты

Универсальный поток энергии Рэйки. Татьяна Яшнова

Комплект «Универсальный поток энергии Рэйки» предназначается тем, кто пока еще ничего не знает о Рэйки, но уже готов познакомиться с этим учением.

Диск «Медитации Рэйки» является дополнением к книге «Универсальный поток энергии Рэйки». Благодаря данному набору вы сможете полностью изменить свою жизнь, восстановить свое здоровье — физическое и эмоциональное, справиться с

• CD с комплексом упражнений
• книга «Универсальный поток энергии Рэйки», 128 с., формат 160x215 мм, обрезной

болезнями и вернуть душевное равновесие. Комплект будет интересен и полезен не только тем, кто давно знаком с энергией Рэйки, но и всем, кто хочет добиться успеха в жизни и стать счастливым.

В серии:

- Ирина Шевцова. «Йога для беременных»
- Александр Шишкин. Массаж за 20 минут

Уважаемые читатели!
Эти книги можно заказать по почте. Позвоните по телефонам **(812) 952-08-99, 715-36-66** и узнайте номер заказа, а также точную стоимость книг с доставкой.

 **ИЗДАТЕЛЬСТВО ВЕКТОР** www.vektorlit.ru

КНИГА-ПОЧТОЙ:
192029, Санкт-Петербург, а/я 25(В); kniga-poshtoi@mail.ru
Тел.: (812) 952-08-99, 715-36-66. *www.postbook.ru*

ОТДЕЛ ПРОДАЖ: тел/факс: (812) 401-67-60, 401-67-61
e-mail: sale@vektorlit.ru, www.vektorlit.ru

**ВЕКТОР-М — торговое представительство издательства «Вектор»
в Москве:** тел.: (495) 280-02-45, моб. тел.: 8-910-480-20-15, 8-910-480-20-82;
e-mail: info@m-vektorlit.ru
ОПТОВО-РОЗНИЧНЫЙ МАГАЗИН издательства «Вектор»
Санкт-Петербург, пр. Обуховской обороны, д. 105 (ДК им. Крупской), павильон 37
телефон: (812) 412-59-93
КНИГА-ПОЧТОЙ: тел. (812) 952-08-99, 715-36-66; e-mail: kniga-poshtoi@mail.ru
Россия, 192029, Санкт-Петербург, а/я 25; *www.postbook.ru*

Город	Фирма	Контакты
Москва	Хит-книга	(901) 524-52-50, (812) 290-95-84, (812) 973-49-01
	Амадеос	(495) 513-57-77, 513-57-85, 513-55-03
	Лабиринт	(495) 231-46-79, www.labirint-shop.ru
Санкт-Петербург	Буквоед	(812) 601-0-601 круглосуточно, www.bookvoed.ru
	СПб Дом Книги	(812) 448-23-55
Воронеж	Амиталь	(4732) 26-77-77, mail@amital.ru, www.amital.ru
Екатеринбург	Люмна	(343) 264-23-61, 264-23-62
	Дом книги КТК	(343) 253-50-10, domknigi@k66.ru
Иркутск	Продалить	(3952) 51-30-70, www.prodalit.ru
Казань	«Дом книги»	(843) 295-12-71 www.bookskazan.ru
Краснодар	Когорта	(861) 262-54-97, 210-36-27, 262-20-11
Омск	Живые мысли	(3812) 21-15-47, 8-913-145-99-83
Новосибирск	ГК «Аристо-тель»	(383) 217-45-40
Пермь	ИП Крохина	(342) 281-23-61
Пятигорск	Твоя Книга	(8793) 39-02-54, 39-02-53, www.kmv-book.ru
Ростов-на-Дону	ТД «Дон»	(863) 299-39-67, 299-37-30
Рязань	Барс	(4912) 93-29-55, 93-29-54
Самара	Чакона	(846) 331-22-33
Уфа	УМЦ «Эдвис»	(347) 282-83-92, 282-56-30
Хабаровск	МИРС	(4212) 47-00-47, www.bookmirs.ru
Якутск	«Книжный маркет»	(4112) 34-20-47, www.books.ykt.ru
УКРАИНА	Арий	1038 (044) 537-29-20, 407-10-30
	ЧП Петров	1038 (044) 230-81-54, petrov_kiev@svitonline.com
	Книжный мага-зин «Страница»	1038 (044) 383-20-73, www.stranica.com.ua
ПРОДАЖА КНИГ в Европе	Атлант	+49 (0) 721-183-12-12, www.atlant-shop.com, atlant.book@online.de
Израиль	Спутник	+972-9-7679996, zakaz@sputnik-books.com, Тель-Авив, ул. Хель-Аширион, 79
Интернет-магазин	Озон	www.ozon.ru
Интернет-магазин	Книга-почтой	www.postbook.ru Тел.: (812) 952-08-99, (812) 715-36-66